Pe. JOSÉ RAIMUNDO VIDIGAL, C.Ss.R.

100 PERGUNTAS E RESPOSTAS SOBRE A Bíblia

EDITORA
SANTUÁRIO

Direção editorial:
Pe. Fábio Evaristo R. Silva, C.Ss.R.

Conselho editorial:
Pe. Ferdinando Mancilio, C.Ss.R.
Pe. Marlos Aurélio, C.Ss.R.
Pe. Mauro Vilela, C.Ss.R.
Pe. Victor Hugo Lapenta, C.Ss.R.

Coordenação editorial:
Ana Lúcia de Castro Leite

Revisão:
Denis Faria

Diagramação e capa:
Bruno Olivoto

Dados Internacionais de Catalogação na Publicação (CIP)
(Câmara Brasileira do Livro, SP, Brasil)

Vidigal, José Raimundo
   100 perguntas e respostas sobre a Bíblia / José Raimundo Vidigal. - Aparecida, SP: Editora Santuário, 2017.

   ISBN 978-85-369-0506-8
   ISBN 978-65-5527-080-8 (e-book)

   1. Bíblia - Perguntas e respostas I. Título.

17-05986   CDD-220

Índices para catálogo sistemático:
1. Bíblia : Perguntas e respostas 220

3ª impressão

Todos os direitos reservados à **EDITORA SANTUÁRIO** – 2024

Rua Pe. Claro Monteiro, 342 – 12570-045 – Aparecida-SP
Tel.: 12 3104-2000 – Televendas: 0800 - 0 16 00 04
www.editorasantuario.com.br
vendas@editorasantuario.com.br

*Aos mineiros do Vale do Aço
que caminharam comigo
pelas páginas da Bíblia.*

Prefácio

Este livro nasceu de um programa de rádio, que agitava as manhãs de domingo na Educadora de Coronel Fabriciano-MG, em que o autor respondia a perguntas dos ouvintes. Toda semana, a Rádio recebia dezenas de cartas, a maioria de gente simples e desejosa de aprender. Dava para notar a alegria das pessoas em seguir o programa e receber suas respostas. Era uma época em que os católicos se sentiam acuados por pessoas de outras religiões, que questionavam as posições da Igreja, pretendendo ter razão em suas explicações da Bíblia.

Era preciso ajudar nosso bom povo a "dar as razões da esperança que o animava" (1Pd 3,15), mostrando-lhe como explicar aos que tinham deixado nossas fileiras o porquê de permanecer firmes na religião dos pais.

Mais ou menos como durante o exílio de Babilônia, o profeta Jeremias tinha mostrado aos hebreus como responder aos desafios que enfrentariam naquela terra tão diferente. Ele escreveu aos exilados uma carta, em que pôs uma frase já traduzida para o aramaico, falado por aqueles pagãos, com a qual poderiam refutar a idolatria deles: "Assim lhes falareis: 'Os deuses que não criaram o céu e a terra desaparecerão da terra e de debaixo dos céus'" (Jr 10,11).

Boa parte da correspondência vinha de crianças que frequentavam a catequese. Uma carta me chamou particularmente a atenção, porque veio acompanhada de um singelo desenho de uma menina de 11 anos, residente em uma comunidade rural, chamada Porteira Grande, distrito de Antônio Dias-MG. Ela desenhou um coqueiro com muitos coquinhos em um cacho e outros caídos pelo chão, explicando em sua linguagem simples de criança: "O pezinho de coquinho é o sr. e os coquinhos que caem são as respostas de seu programa".

Gostei de ser comparado a uma árvore que produz e oferece bons frutos para alimentar a caminhada de meus irmãos e irmãs na fé. Então reuni aqui 100 respostas sobre a Bíblia, 100 "coquinhos", que vão ajudar você a apreciar melhor a Bíblia em geral e suas diversas partes. Vamos conversar de maneira simples, mas comunicando o que há de melhor nos estudos atuais e nos documentos da Igreja.

Por meio dessa leitura, você ficará atualizado em seus conhecimentos, estará *em dia com a Bíblia* (nome do programa) e com a ciência moderna. Você vai ver como a Palavra de Deus é maravilhosa e como transforma sua vida!

O Autor

Abreviaturas dos livros bíblicos

Ab	Abdias	Fm	Filêmon
Ag	Ageu	Gl	Gálatas
Am	Amós	Gn	Gênesis
Ap	Apocalipse	Hab	Habacuc
At	Atos dos Apóstolos	Hb	Hebreus
Br	Baruc	Is	Isaías
Cl	Colossenses	Jd	Judas
1Cor	1ª Coríntios	Jl	Joel
2Cor	2ª Coríntios	Jn	Jonas
1Cr	1º Crônicas	Jó	Jó
2Cr	2º Crônicas	Jo	João (evangelho)
Ct	Cântico dos Cânticos	1Jo	1ª João
Dn	Daniel	2Jo	2ª João
Dt	Deuteronômio	3Jo	3ª João
Ecl	Eclesiastes	Jr	Jeremias
Eclo	Eclesiástico	Js	Josué
Ef	Efésios	Jt	Judite
Esd	Esdras	Jz	Juízes
Est	Ester	Lc	Lucas
Êx	Êxodo	Lm	Lamentações
Ez	Ezequiel	Lv	Levítico
Fl	Filipenses	Mc	Marcos

1Mc	1º Macabeus	Rt	Rute
2Mc	2º Macabeus	Sb	Sabedoria
Ml	Malaquias	Sf	Sofonias
Mq	Miqueias	Sl	Salmos
Mt	Mateus	1Sm	1º Samuel
Na	Naum	2Sm	2º Samuel
Ne	Neemias	Tb	Tobias
Nm	Números	Tg	Tiago
Os	Oseias	1Tm	1ª Timóteo
1Pd	1ª Pedro	2Tm	2ª Timóteo
2Pd	2ª Pedro	1Ts	1ª Tessalonicenses
Pr	Provérbios	2Ts	2ª Tessalonicenses
Rm	Romanos	Tt	Tito
1Rs	1º Reis	Zc	Zacarias
2Rs	2º Reis		

Outras abreviaturas

AG	Decreto *Ad Gentes* do Concílio Vaticano II sobre a Atividade Missionária da Igreja
AT	Antigo Testamento
CIC	Catecismo da Igreja Católica
CNBB	Conferência Nacional dos Bispos do Brasil
DS	Denzinger-Schönmetzer, *Enchiridion Symbolorum et Definitionum* (Manual de credos e definições)
DV	Constituição Dogmática *Dei Verbum* do Concílio Vaticano II sobre a Revelação Divina
EG	Exortação Apostólica *Evangelii Gaudium* do Papa Francisco sobre o anúncio do Evangelho no mundo atual
GS	Constituição Pastoral *Gaudium et Spes* do Concílio Vaticano II sobre a Igreja no mundo atual
LG	Constituição Dogmática *Lumen Gentium* do Concílio Vaticano II sobre a Igreja

NA   Declaração *Nostra Aetate* do Concílio Vaticano
     II sobre as Relações da Igreja com as Religiões
     Não Cristãs

NT   Novo Testamento

SC   Constituição Conciliar *Sacrosanctum Concilium*
     do Concílio Vaticano II sobre a Sagrada Liturgia

I

Bíblia, mensagem de Deus em palavras humanas

1 A Bíblia é palavra de Deus ou palavra inspirada por Deus?

A Bíblia é mensagem de Deus em palavras humanas. No Credo, professando nossa fé, dizemos que "foi Ele (o Espírito Santo) que falou pelos profetas". O livro inspirado tem Deus como causa principal e o ser humano como causa instrumental. O livro resulta de uma cooperação misteriosa entre Deus e o autor humano; ele é inteiramente de Deus e inteiramente do homem, embora seja atribuído principalmente a Deus e secundariamente ao homem.

No decorrer da história, alguns intérpretes exageraram a intervenção divina, afirmando que Deus ditou a sua mensagem, e os autores apenas a copiaram. Outros biblistas fizeram o contrário, minimizando a intervenção divina, que ficaria reduzida a uma simples assistência para preservar o autor de erros. A posição justa está no meio termo.

Uma comparação pode ser útil para esclarecer essa questão. Suponhamos um músico que toca vários instrumentos. O timbre, o som de cada instrumento será diferente, mas é o mesmo músico que está tocando. Deus é como esse músico, e os autores bíblicos são como os instrumentos. Cada qual conserva seu tom, seu estilo, sua personalidade, mas é o mesmo Deus que os move.

É por isso que os estudiosos são capazes de distinguir o modo de escrever de Isaías, de Jó, de Hebreus, de vários autores que têm um estilo marcante: é porque cada um escreveu com suas palavras, não com palavras que receberam prontas, ditadas materialmente por Deus. Resumindo as conquistas de vários séculos de estudos, o Concílio Vaticano II declarou no n. 11 da Constituição Dogmática *Dei Verbum* sobre a Revelação Divina:

> As coisas divinamente reveladas, que se encerram por escrito na Sagrada Escritura e nesta se nos oferecem, foram consignadas sob influxo do Espírito Santo. Pois a Santa Mãe Igreja, segundo a fé apostólica, tem como sagrados e canônicos os livros completos tanto do Antigo como do Novo Testamento, com todas as suas partes, porque, escritos sob a inspiração do Espírito Santo (cf. Jo 20,31; 2Tm 3,16; 2Pd 1,19-21; 3,15-16), eles têm em Deus o seu autor e nesta sua qualidade foram confiados à mesma Igreja. Na redação dos livros sagrados, Deus escolheu homens, utilizou-se deles sem tirar--lhes o uso das próprias capacidades e faculdades, a fim de que, agindo Ele próprio neles e por eles, consignassem por escrito, como verdadeiros autores, aquilo tudo e só aquilo que ele próprio quisesse.
>
> Portanto, já que tudo o que os autores inspirados ou os hagiógrafos afirmam deve ser tido como afirmado pelo Espírito Santo, segue-se que devemos confessar que os livros da Escritura ensinam firmemente, fielmente e sem erro a verdade que Deus, para nossa salvação, quis fosse que consignada por escrito. Por isso, toda a Escritura é inspirada por Deus e útil para ensinar, para repreender, para corrigir e para formar na justiça. Por ela, o homem de Deus se torna perfeito, capacitado para toda boa obra (2Tm 3,16-17).

Nós católicos temos um modo simples e direto para reconhecer os livros inspirados e distingui-los dos demais: é a sagrada tradição dos antigos Padres da Igreja. Fazendo uso da autoridade recebida de seu divino Fundador, cabe à Igreja a missão de determinar quais os livros que se devem julgar inspirados, baseando suas decisões na tradição dos antigos. A tarefa se complica para as igrejas que não aceitam a ideia de uma "tradição" e se veem obrigadas a recorrer a outros critérios para determinar quais livros pertencem à Bíblia.

2 Como foi escrita a Bíblia?

A Bíblia foi escrita em um período de 1000 anos, aproximadamente do ano 1000 antes de Cristo a 100 depois de Cristo.

A Bíblia é uma obra sagrada, composta de 73 livros, todos inspirados pelo Espírito Santo, mas redigidos por autores humanos, que escreveram, cada qual conforme seu estilo e sua cultura, aquilo que Deus mandava. A assistência do Espírito Santo preservou esses autores de cometer erros de doutrina, mas não interferiu no linguajar deles, de modo que é fácil distinguir o modo de escrever de cada um. Os livros da Bíblia são de natureza muito diferente uns dos outros, pois incluem história, leis, poesia, conselhos, orações, cartas, discursos, profecias. A isto chamamos de gêneros literários, variedade que encontramos também nas publicações hodiernas, por exemplo os jornais, que têm notícias, comentários, anúncios, esporte, economia, moda, espetáculos, etc. E cada setor desses nós sabemos apreciar de maneira adequada. Essa leitura diferenciada deve ser aplicada também à Bíblia. Não é a mesma coisa ler uma carta de Paulo ou o livro do Eclesiastes.

Conhecemos os nomes de alguns dos autores de livros bíblicos, por exemplo, os quatro evangelistas Mateus, Marcos, Lucas e João. Mas a grande maioria dos escritores permanece no anonimato. Existiu também o costume de atribuir um escrito a um personagem importante, como Moisés, Salomão, Davi, sem que de fato eles fossem os autores, pelo menos da versão final. A esse costume damos o nome de pseudoepigrafia.

As histórias narradas na Bíblia, sobretudo as dos tempos mais antigos, foram escritas bem depois dos acontecimentos, à distância de séculos geralmente. Se imaginamos que Abraão viveu por volta do ano 1800 a.C. e o uso do alfabeto fenício só se tornou comum 500 anos depois, devemos afirmar que por vários séculos as tradições patriarcais, antes de serem escritas, se conservavam na memória do povo. Mas podemos crer que as crônicas dos reis de Israel, posteriores ao ano 1000, receberam uma narração escrita mais perto dos fatos.

O caso das profecias é o único em que algum escrito pôde ser publicado antes dos acontecimentos. Por exemplo, no Sl 22/21,17-19 lemos: "Traspassaram minhas mãos e meus pés, posso contar todos os meus ossos ... Repartem entre si minhas roupas, sobre minha túnica tiram a sorte". Ora no título desse salmo lemos que ele é de Davi. Mesmo que não seja dele nem de sua escola, certamente é um salmo muito antigo, escrito vários séculos antes de Cristo. E temos nesse salmo uma clara profecia da paixão de Cristo.

3 *Em que línguas foi escrita a Bíblia?*

A maior parte do Antigo Testamento foi escrita em hebraico, a língua sagrada dos judeus, que recentemente a fizeram renascer para se tornar a língua oficial do moderno estado de Israel. Uma pequenina parte do AT foi escrita em aramaico, cujo nome vem de Aram, região central da Síria. É uma língua próxima do hebraico, que usa o mesmo alfabeto e era falada em algumas áreas ao norte da Palestina. Chegou a ser a língua diplomática do Oriente, lá pelo século VIII antes de Cristo. Quando os judeus voltaram do cativeiro de Babilônia, passaram a falar aramaico. Essa foi a língua usada por Jesus e ainda sobrevive em vilarejos da Síria como Maalula e Yabrud, e também em aldeias ao sul da Turquia, como Tur'Abdin. São estas as partes da Bíblia escritas em aramaico:

- Gn 31,47: "Labão chamou o monte de Jegar--Saaduta e Jacó o chamou Galed." Jegar-Saaduta é o equivalente aramaico de Gal'ed, que significa "monte do testemunho".
- Esd 4,8—6,18: são citações de cartas, documentos e relatórios.
- Esd 7,12-26: é o documento do rei Artaxerxes entregue a Esdras.
- Jr 10,11: "Os deuses que não criaram o céu e terra desaparecerão da terra e de debaixo dos céus". O profeta Jeremias enviou aos exilados em Babilônia a frase já traduzida para o aramaico, com a qual deveriam contestar a idolatria.
- Dn 2,4—7,18: Começa com as palavras dos caldeus ao rei Nabucodonosor e prossegue com outros episódios da vida de Daniel.

Ainda no Antigo Testamento, existem 7 livros e alguns trechos de Daniel e Ester escritos em grego, que nós católicos consideramos como bíblicos inspirados. Os sete livros são: Tobias, Judite, 1º livro dos Macabeus, 2º livro dos Macabeus, Sabedoria, Eclesiástico e Baruc.

Todo o Novo Testamento foi escrito em grego, não no grego clássico, mas no grego chamado *koine*, ou popular. Desde que Alexandre Magno conquistou o mundo mediterrâneo, esse grego foi se tornando sempre mais a língua universal. Isto foi providencial, facilitando a difusão do Evangelho, pois onde quer que pregassem no mundo greco-romano, os apóstolos podiam usar essa língua. E para os textos do Antigo Testamento, eles tinham a tradução grega chamada Septuaginta, feita no século III a.C. em Alexandria.

4 São fiéis as traduções que temos da Bíblia?

Cada tradução católica passa por um exame rigoroso antes de receber a aprovação da Igreja, dada através do Bispo que mandou examiná-la. Os tradutores estão conscientes de sua grave missão de transmitir o mais fielmente possível o pensamento dos autores da Bíblia. As traduções são fruto de um trabalho meticuloso e sério, feito por pessoas preparadas, que dominam as línguas originais em que foi escrita a Bíblia: hebraico, aramaico e grego. De outra forma, constatando-se falhas graves, não obteriam a aprovação da Igreja, senão depois de corrigidas as falhas.

Alguns acham desejável que todas as edições da Bíblia tivessem o mesmo texto. Já existe no Brasil, desde 2001, o texto oficial da Bíblia, publicado pela CNBB. A Igreja Católica teve até 1979 um texto latino da Bíblia, chamada Vulgata, declarada "autêntica" e oficial. Esse texto foi substituído em 1979 pela Nova Vulgata, que é uma revisão da antiga. As línguas modernas têm como peculiaridade o fato de envelhecerem com o tempo e certas expressões caírem em desuso, de modo que é preciso de tempos em tempos atualizar a linguagem. Há também de se levar em conta o progresso dos estudos bíblicos, pelo qual alguma tradução até então considerada exata, revela-se inadequada. Por exemplo, o Episcopado Italiano lançou em 2008 a Nova Versão do seu texto oficial, com várias modificações, entre as quais esta: em Mt 16,23 e Mc 8,33, onde Jesus fala com Pedro, lia--se: "Afasta-te de mim, Satanás!" Agora lá está: "Vai depois de mim, Satanás!"

5 Por que a Bíblia dos evangélicos é diferente da nossa?

Todo grupo religioso precisa definir quais livros ele considera sagrados, pois a literatura de caráter religioso costuma ser muito rica. Assim, os judeus também tiveram de adotar critérios para reconhecer como inspirado um livro. Resolveram que, para ser considerado como sagrado, o livro devia ser escrito na Terra Santa, em língua hebraica, antes de Esdras (século V a.C.) e não conter nada que contrariasse a lei de Moisés. Na concepção deles, a inspiração dos livros sagrados chegara ao fim na época persa (538-333). Essa lista chama-se "cânon" e os livros reconhecidos como sagrados se chamam "canônicos" ou inspirados; os excluídos ganham o nome de "apócrifos". Assim, os judeus não aceitaram como inspirados os livros escritos em grego, fora da Palestina e em um tempo posterior a Esdras. Com isso, recusaram os livros de Tobias, Judite, Sabedoria, Baruc, Eclesiástico (ou Sirácida), 1 e 2 Macabeus, além de trechos de Ester e Daniel 3,24-90; 13-14, todos eles escritos em grego. É digno de nota que na biblioteca dos essênios de Qumran, contemporâneos de Jesus, foram encontrados os livros de Tobias e Eclesiástico, além da Carta de Jeremias que está no capítulo 6 de Baruc.

Ora, quando Lutero abandonou a Igreja fundando o Protestantismo, ele e seus seguidores adotaram a mesma posição dos antigos judeus e rejeitaram esses livros e esses trechos. Mas quando ele traduziu a Bíblia do latim para o alemão, traduziu também aqueles sete livros na sua edição de 1534, e as Sociedades Bíblicas protestantes, até o século XIX os incluíam nas edições da Bíblia.

Como a Igreja católica justifica sua decisão de aceitar esses livros em sua Bíblia? Constatando que, em sua obra de evangelização, desde o tempo dos apóstolos, a Igreja usou uma Bíblia em grego, chamada "Septuaginta", ou Tradução dos Setenta, que foi feita em Alexandria, no Egito, no século III a.C., para os judeus de lá que não entendiam o hebraico das Escrituras. Ora, essa Bíblia continha também os livros escritos em grego, acima mencionados.

Os Apóstolos e Evangelistas adotaram a Bíblia completa dos Setenta, considerando inspirados (canônicos) os livros rejeitados pelos judeus. Ao escreverem o Novo Testamento, citaram muitas vezes o Antigo Testamento na forma da Tradução dos Setenta, mesmo quando esta era um pouco diferente do texto hebraico. Das 350 citações do Antigo Testamento que há no Novo, 300 são tiradas literalmente da versão dos Setenta. Em vários lugares, é possível constatar que os autores do Novo Testamento citaram esses livros rejeitados pelos judeus e que nós católicos aceitamos. Por exemplo, quando Tiago diz "que cada um esteja pronto para ouvir, mas lento para falar", ele com certeza está citando Eclesiástico 5,11: "Sê pronto para escutar, mas lento para dar a resposta".

Em diversos Concílios, regionais ou ecumênicos, a Igreja apresentou a lista dos livros sagrados: nos Concílios regionais de Hipona (ano 393); Cartago II (397), Cartago IV (419), Trulano (692) e nos Concílios ecumênicos de Florença (1442), Trento (1546) e Vaticano I (1870). Se a Igreja não definiu rapidamente a lista dos livros inspirados, foi por causa da dificuldade do diálogo com os judeus. A respeito de alguns livros bíblicos, houve opiniões divergentes entre os primeiros autores cristãos Mas diversos escritos antigos dos cristãos traziam citações daqueles livros contestados, mostrando que eram tidos como sagrados.

Naquele momento de definir quais eram os livros sagrados, momento tão importante para a vida da Igreja, podemos imaginar que ela foi inspirada de modo todo especial pelo Espírito Santo. Nós, católicos, acreditamos que é pela Tradição que recebemos a Bíblia. Assim o explica o Concílio Vaticano II: "Mediante a mesma Tradição, conhece a Igreja o cânon inteiro dos livros sagrados, e a própria Sagrada Escritura entende-se nela mais profundamente e torna-se incessantemente operante" (DV 8).

Quem nega o valor imprescindível da Tradição não consegue explicar de onde poderia vir a decisão sobre onde começa e onde termina a própria Bíblia.

6 Por que há tantas diferenças entre as igrejas na interpretação da Bíblia?

A Bíblia diz em 2Pd 1,20s: "Ficai sabendo que nenhuma profecia da Escritura admite interpretação pessoal; pois uma profecia não é pronunciada por vontade humana, mas foi pelo impulso do Espírito Santo que alguns falaram da parte de Deus."

O Concílio Vaticano II ensinou na Constituição Dogmática *Dei Verbum*, 12:

> Como Deus na Sagrada Escritura falou por meio de homens e à maneira humana, o intérprete da Sagrada Escritura, para saber o que Ele quis comunicar-nos, deve investigar com atenção o que os hagiógrafos realmente quiseram significar e aprouve a Deus manifestar por meio das palavras deles.
> Para descobrir a intenção dos hagiógrafos, devem-se ter em conta, entre outras coisas, também os "gêneros literários".
> A verdade é proposta e expressa de modos diferentes, segundo se trata de textos históricos de várias maneiras, ou de textos proféticos ou poéticos ou ainda de outros modos de

expressão. Importa, pois, que o intérprete busque o sentido que o hagiógrafo pretendeu exprimir e de fato exprimiu em determinadas circunstâncias, segundo as condições do seu tempo e da sua cultura, usando os gêneros literários então em voga. Para entender retamente o que o autor sagrado quis afirmar por escrito, deve atender-se bem, quer aos modos peculiares de sentir, dizer ou narrar em uso nos tempos do hagiógrafo, quer àqueles que na mesma época costumavam empregar-se nos intercâmbios humanos.

Mas, como a Sagrada Escritura deve ser lida e interpretada com a ajuda do mesmo Espírito que levou à sua redação, ao investigarmos o sentido exato dos textos sagrados, devemos atender com diligência não menor ao conteúdo e à unidade de toda a Escritura, tendo em conta a Tradição viva de toda a Igreja e a analogia da fé. Cabe aos exegetas, em harmonia com estas regras, trabalhar por entender e expor mais profundamente o sentido da Escritura, para que, mercê deste estudo dalgum modo preparatório, amadureça o juízo da Igreja. Com efeito, tudo quanto diz respeito à interpretação da Escritura, está sujeito ao juízo último da Igreja, que tem o divino mandato e ministério de guardar e interpretar a palavra de Deus.

Quando se revoltou contra a Igreja Católica, em 1517, Lutero deu aos seus seguidores o princípio do "livre exame". Há evangélicos que distinguem "livre exame" de "livre interpretação", afirmando que não se trata de dar a cada fiel a liberdade de interpretar a Escritura como lhe parecer. Explicam assim sua posição: "Nas controvérsias religiosas não aceitamos como imposição as simples opiniões dos Santos Padres ou os decretos dos concílios; muito menos, os costumes herdados ou, até, o fato de ser uma opinião partilhada por uma multidão ou consagrada por um longo tempo. Quem é o juiz? Em questão de fé, não admitimos juiz algum, a não ser o próprio Deus, que, pelas Santas Escrituras, proclama o que é verdadeiro, o que é falso, o que deve ser seguido ou o que deve ser evitado." Nós católicos dizemos que "a Igreja é a coluna e o sustentáculo da verdade" (1Tm 3,15) e que esta Igreja tem um chefe visível, ao qual compete guiar os fiéis à plena verdade em nome de Cristo. É por isso que as edições católicas da Bíblia precisam ter no verso do título o *Imprimatur* com a assinatura de um Bispo, mostrando que é uma publicação aprovada. Também por isso, as traduções católicas têm notas ao pé da página, para explicar os textos mais difíceis, apresentando como a Igreja lê determinado texto. Já dizia São Pedro que "nas cartas de Paulo há pontos obscuros, que as pessoas sem instrução e sem firmeza deturpam, como o fazem com as outras Escrituras, para sua própria perdição" (2Pd 3,16).

São diversas as diretrizes para uma reta interpretação da Bíblia. Primeiro, é preciso estar atento àquilo que os autores humanos quiseram realmente afirmar e àquilo que Deus quis manifestar-nos pelas palavras deles (DV, 12). Para descobrir a intenção dos autores sagrados, há que levar em conta as condições da época e da cultura deles, os "gêneros literários" que usaram, os modos de sentir, falar e narrar, correntes no tempo deles. A Bíblia deve ser lida e interpretada naquele mesmo espírito em que foi escrita (DV 12).

Temos de prestar atenção também ao conteúdo e à unidade da Escritura inteira, considerando que a Bíblia forma um conjunto lógico. É preciso também ler a Bíblia dentro da Tradição viva da Igreja inteira, conferindo o que disseram os comentadores mais antigos. E finalmente, levar em conta a "analogia da fé", ou seja, a coesão das verdades da fé entre si.

7 Qual é a revelação essencial da Bíblia?

Como veremos, é bem verdade o que diz o cântico: "Toda a Bíblia é comunicação de um Deus-Amor, de um Deus-Irmão."

Existem perguntas fundamentais, que em todos os tempos e lugares têm despertado o interesse da humanidade: Quem sou eu? De onde vim? Para que estou no mundo? Quem governa o mundo? O que existe depois dessa vida?

Existe um salmo que começa assim: "A minha alma tem sede de Deus, pelo Deus vivo anseia com amor..." (Sl 42/41,3). "O desejo de Deus está inscrito no coração do homem, já que o homem é criado por Deus e para Deus; e Deus não cessa de atrair o homem a si, e somente em Deus o homem há de encontrar a verdade e a felicidade que não cessa de procurar" (CIC § 27).

Deus vem ao encontro desse desejo e se manifesta na criação e na história. "Os céus proclamam a glória de Deus e o firmamento anuncia a obra de suas mãos" (Sl 19/18,2). "Aprouve a Deus, em sua bondade e sabedoria, revelar-se a si mesmo e tornar conhecido o mistério da sua vontade, pelo qual os homens, por intermédio de Cristo, Verbo feito carne, no Espírito Santo, têm acesso ao Pai e se tornam participantes da natureza divina". O projeto divino da revelação realiza-se ao mesmo tempo por ações e por palavras, intimamente ligadas entre si e que se iluminam mutuamente (DV 2).

Depois que os seres humanos decaíram de sua condição original pelo pecado de Adão, Deus não os abandonou ao poder da morte, mas escolheu um povo com o qual caminhou realizando uma história de salvação e o instruiu enviando seus mensageiros, os profetas. "Deus que nos tempos antigos havia falado tantas vezes e de tantos modos pelos profetas, falou por último por meio de seu Filho Jesus" (cf. Hb 1,1), que se fez homem, comunicou ao mundo a revelação definitiva e deu a vida pela salvação da humanidade. Para a missão de continuar sua obra no mundo, Jesus escolheu apóstolos, sementes da Igreja, comunidade de salvação.

I. Bíblia, mensagem de Deus em palavras humanas

Muitos profetas e outros autores inspirados, como também alguns apóstolos de Jesus deixaram obras escritas, para que não se perdesse o rico patrimônio da revelação. O que foi conservado em livros é apenas uma parte, pois, como diz o 4º evangelho, se tudo fosse escrito, "nem o mundo inteiro poderia conter os livros que seriam escritos" (Jo 21,25).

Ao conjunto dos livros que a Igreja considera inspirados damos o nome de Bíblia, ou Sagrada Escritura, que é "a Palavra de Deus enquanto redigida sob a moção do Espírito Santo" (CIC §81). Cabe à Igreja a missão de transmitir e interpretar a revelação, ficando vigilante para não deixar o erro penetrar entre seus fiéis.

8 *De acordo com o Antigo Testamento qual foi o pecado cometido por Adão e Eva?*

Todo o relato de Gênesis 3 é altamente simbólico, a começar pelo tipo de animal escolhido para representar o inimigo de Deus. Pois a serpente, além de ser um animal astuto e traiçoeiro, era também uma imagem venerada nos cultos cananeus, com os quais Israel entrou em contato, pois tratava-se de povos vizinhos.

E por ser o pai da mentira, o demônio começa o diálogo com Eva perguntando se Deus proibiu comer do fruto de *todas* as árvores. Não, disse Eva, a árvore proibida é aquela do conhecimento do bem e do mal.

O que será "conhecer o bem e o mal"? Duas possibilidades devem ser logo excluídas: a) "bem e mal" significaria "tudo", portanto, eles teriam a onisciência. b) seria saber discernir entre bem e mal. Pois isto toda pessoa adulta tem que saber.

Os autores explicam o verbo "conhecer" aqui como "determinar", decidir por si mesmo o que é bom e o que não é, e ter toda liberdade de agir conforme suas es-

25

colhas sem ter uma lei superior. Logo, essa "árvore" tinha que ser proibida a simples criaturas mortais, pois faz parte do estado de criatura a dependência para com o Criador.

Em Gn 2,17 Deus avisa: "no dia em que dela comerdes, tereis que morrer". Não morte imediata, mas estarão sujeitos a morrer. Sem o pecado não haveria morte, pois "a morte é o salário do pecado" (Rm 6,23).

E a serpente diz outra mentira: "Não morrereis". E acrescenta, instilando a desconfiança em Deus e sugerindo que Ele é um egoísta que não quer compartilhar seus dons: "Mas Deus sabe que, no dia em que dele comerdes, vossos olhos se abrirão e vós sereis como deuses, conhecendo o bem e o mal" (Gn 3,5).

Pelas palavras da serpente "sereis como deuses" percebe-se que a tentação que tiveram os primeiros pais foi a do orgulho, da soberba, da ambição. Acreditaram que desobedecendo a Deus seriam iguais a Ele, sem ter de se curvar às suas ordens.

E o autor bíblico continua narrando que, depois de comerem do fruto proibido, Adão e Eva sentiram abrirem-se seus olhos, mas em que sentido? Para perceberem que não ganharam nada, e "estavam nus" (v. 7), de uma nudez que antes não os incomodava (Gn 2,25).

Assim, o ser humano quis ser igual a Deus e pecou por orgulho. Também por desobediência, pois todo pecado inclui uma desobediência. Duvidou de Deus, acreditando mais nas sugestões do Maligno.

Para salvar o ser humano desse pecado e de todos os outros, Deus se fez homem, obediente e humildemente igual a todos nós, menos no pecado. E fez isto para divinizar o homem. Em uma linguagem arrojada, escreveu Santo Agostinho: "Deus se fez homem para que o homem se tornasse Deus." (*Sermão 13 de Tempore*: Patrologia Latina 39, 1097-1098).

9 Se a humanidade começou com Adão e Eva, por que tanta diferença física entre os povos?

O Concílio Vaticano II declarou: "Todos os povos constituem uma só comunidade. Têm uma origem comum, uma vez que Deus fez todo o gênero humano habitar a face da terra" (At 17,26) (NA 1). E disse também: "Deus quis que todos os homens formassem uma só família e se tratassem mutuamente com espírito fraterno (GS 24)". "Graças à origem comum, o gênero humano forma uma unidade". Pois Deus "de um só fez todo o gênero humano". Maravilhosa visão que nos faz contemplar o gênero humano na unidade de sua origem em Deus...; na unidade de sua natureza, composta igualmente em todos de um corpo material e de uma alma espiritual; na unidade de seu fim imediato e de sua missão no mundo; na unidade de seu hábitat: a terra, de cujos bens todos os homens, por direito natural, podem usar para sustentar e desenvolver a vida; na unidade de seu fim sobrenatural: Deus mesmo, ao qual todos devem tender; na unidade dos meios para atingir este fim;... na unidade do seu resgate, realizado em favor de todos por Cristo" (CIC § 360).

Esta lei de solidariedade humana e de caridade, sem excluir a rica variedade das pessoas, das culturas e dos povos, nos garante que todos os homens são verdadeiramente irmãos.

Se aceitamos que o homem tal como o conhecemos hoje surgiu há 500 mil anos, podemos imaginar que muitas modificações ocorreram no seu físico. Com o passar dos anos, o DNA, o código genético, vai se modificando. De geração em geração ele sofre mudanças, que são tão pequenas que é impossível notar. Somente observando várias e várias gerações é possível ver as mudanças que são causadas por ele.

Hoje em dia, a maioria dos cientistas rejeita o termo "raça" para se referir a seres humanos. Afinal, são insignificantes as variações genéticas entre um europeu e um africano, ou entre esses e um asiático. Por isso, só há sentido em falar de uma única raça humana. Mas como explicar as diferenças tão visíveis entre esse mesmo europeu, o africano e o asiático? Essa diversidade apareceu depois de muitos séculos, à medida que o homem precisou se adaptar ao seu habitat no planeta. Assim, um lugar mais frio e pouco ensolarado criava uma pele mais clara que ajudava a aproveitar melhor os raros raios solares; um local mais quente criava uma pele mais escura, mais resistente ao calor e aos raios solares. A mesma coisa aconteceu com os cabelos e outros elementos físicos.

Os seres humanos não são geneticamente distintos entre si (no sentido de eu ter algo que o outro não tem). Isto aplica-se a todas as características físicas e não apenas à cor da pele. Classificar o gênero humano por raças ou mesmo por etnias é um meio perigoso de separação de indivíduos, pois, quando aplicado à espécie humana, pode levar, como levou algumas vezes na história, a uma busca pela supremacia de uma raça em relação a outra.

10 A história do dilúvio aconteceu de verdade?

Junto com a história da torre de Babel, a do dilúvio faz parte dos 11 primeiros capítulos do Gênesis, que são chamados de pré-história bíblica. Isso significa que a história da salvação começa propriamente no capítulo 12 com a vocação de Abraão, o pai do povo eleito. O dilúvio ocupa um amplo espaço no livro, quase quatro capítulos, indo de Gn 6,1 até 9,17. A narrativa fala da maldade crescente no mundo, que leva Deus ao propósito de extinguir a população, salvando, porém, a família de Noé, oito pessoas, que eram piedosas. Avisado por Deus, Noé prepara a arca, recolhe nela os animais e enquanto todos os seres humanos eram afogados no dilúvio, a arca lhes salvou a vida. Para saber se as águas já tinham baixado, ele solta aves, que lhe servem de sinais. No fim a arca estacionou nos montes Ararat (Gn 8,4). Noé agradece a Deus por meio de um sacrifício e Deus lhe promete que nunca mais haverá dilúvio. O arco-íris será o sinal dessa aliança.

Histórias semelhantes a esta existem em quase todas as civilizações espalhadas pelo mundo, por exemplo: no Oriente médio, nas culturas grega, hindu, escandinava e chinesa e entre os aborígenes da Austrália. Algumas até são anteriores ao Antigo Testamento. No romance *O Guarani* de José de Alencar, a cena final é uma grande inundação, da qual se salva o casal Ceci e Peri no alto de uma palmeira. A mitologia greco-romana nos conta a história de Deucalião e Pirra, os sobreviventes do dilúvio ordenado por Zeus com o propósito de exterminar a raça humana, que também se salvaram em uma barca que parou no alto de uma montanha. Mas os paralelos mais próximos nos vieram da antiga Mesopotâmia, pátria de Abraão.

Um deles é o mito sumério de Gilgamesh, personagem que encontra o casal que sobreviveu a um dilúvio que aniquilou a raça humana. A ciência afirma que não houve um único dilúvio universal, mas sim dilúvios locais que ficaram na memória de muitos povos. Sobre a causa desses dilúvios, especula-se que pode ter havido um aumento do nível do mar depois do fim da era do gelo. Ou seria um grande meteoro que caiu no oceano provocando inundação das terras costeiras.

Mas há uma corrente de pensamento que afirma o caráter histórico da descrição bíblica do dilúvio até em seus mínimos detalhes. Várias expedições têm sido feitas ao monte Ararat em busca da arca. Um grupo de exploradores evangélicos chineses e turcos afirmam terem encontrado restos de madeira do que teria sido a Arca de Noé, no Monte Ararat que fica no leste da atual Turquia, na fronteira com o Irã, a 5.400 m de altitude. De acordo com datações do carbono 14 os restos encontrados seriam de 4.800 anos de idade, tempo no qual evangélicos e literalistas afirmam ter sido o momento em que a arca repousou naquele monte. Nos seguintes detalhes a narração bíblica combina com a de mitos antigos:

- a decisão divina de destruir a humanidade
- o anúncio de um dilúvio próximo
- a ordem para construir um barco
- o embarque dos animais e das pessoas
- o envio das aves para saber o nível da água
- o sacrifício oferecido após a inundação
- a promessa divina de não mais destruir a humanidade.

Se muitas são as semelhanças, também são muitas as diferenças entre a Bíblia e os mitos antigos:

- na Bíblia, quem age é Deus que é único, justo e santo
- o motivo do dilúvio é castigar o pecado
- Deus é clemente, dá tempo para a conversão das pessoas
- no fim do dilúvio bíblico há uma aliança entre Deus e os homens
- Noé prefigura Cristo, salvando a humanidade pelo lenho da arca, como Cristo vai salvá-la pelo lenho da cruz
- a arca simboliza a Igreja, comunidade de salvação.

Resumindo, diz a Bíblia de Jerusalém: "O autor sagrado carregou as tradições antigas com um ensinamento eterno sobre a justiça e a misericórdia de Deus, sobre a malícia do homem e a salvação concedida ao justo (cf. Hb 11,7). É um julgamento de Deus, que prefigura o dos últimos tempos (Lc 17,26s; Mt 24,37s), assim como a salvação concedida a Noé figura a salvação pelas águas do batismo (1Pd 3,20s)."

11 Qual o ensinamento da Bíblia sobre a aliança com Deus?

A primeira vez que aparece na Bíblia a palavra "aliança" é em Gn 6,18 quando Deus diz a Noé que vai fazer uma aliança com ele e vai preservá-lo, junto com sua família, do dilúvio que vai acontecer. Passada a calamidade, Deus estabelece essa aliança, cujo sinal é o arco-íris (Gn 9,9). Não é um pacto bilateral, mas um compromisso gratuito. Como um guerreiro que depõe as armas em sinal de paz, Deus depõe seu arco e suas flechas, os raios. O arco-íris significa o fim da ira divina. A aliança com Noé deve ser entendida como uma aliança com toda a nova humanidade purificada pelas águas do dilúvio.

Com Abraão Deus fez também aliança prometendo-lhe terra, descendência e bênção. É uma aliança com o patriarca e sua estirpe. Seu sinal será a circuncisão (Gn 17,10). Já praticada entre povos antigos, assume para Israel um significado religioso: faz Deus lembrar-se da aliança feita e para o povo é um sinal de sua eleição. Como rito de iniciação, prefigura o batismo cristão.

Temos em Gn 15,17 a descrição de um gesto antigo que acompanhava a celebração das alianças. Os contraentes cortavam animais oferecidos como vítimas e passavam entre as partes cortadas, invocando sobre si a mesma sorte daqueles animais, caso fossem infiéis à palavra dada. Neste caso, Deus é o único a se comprometer, não é um pacto bilateral, por isso somente Ele, representado pelo fogo, passa entre as partes. Por causa desse gesto, criou-se em hebraico a expressão "cortar uma aliança", isto é, celebrá-la.

Mais tarde, no início do êxodo, Deus faz aliança com todo o povo que Ele libertou da escravidão do Egito e conduziu até o monte Sinai por meio de Moisés (Êx 19,5). Desta vez a aliança é claramente um pacto bilateral, pois ao povo será dado o dom da Lei, sinal de benevolência divina, manifestação de sua vontade e revelação de sua pessoa.

Na aliança do Sinai foi realizado também um sacrifício de novilhos, cujo sangue Moisés derramou sobre o altar, que representava Deus, e aspergiu sobre o povo. Assim fez o papel de mediador, unindo simbolicamente Deus e o povo. O sangue era considerado a sede da alma e da vida. Ora, a vida pertence a Deus. Daí a proibição de comer carne com sangue (Gn 9,4). Ao sangue era reconhecida essa propriedade de expiar pecados e ratificar alianças.

Como nos tratados políticos entre reis e nações, também a aliança mosaica conhece cláusulas (o código da aliança, Êx 20—23) e também bênçãos e maldições (Dt 28): bênçãos para os cumpridores do contrato e maldições para seus violadores. No Sinai, os hebreus prometeram: "Tudo o que Javé disse, nós o faremos" (Êx 19,8). Essa aliança resume-se nas palavras muitas vezes repetidas: "Serei vosso Deus e vós sereis meu povo" (Lv 26,12). Deus assumia um compromisso de proteção especial com aquele que Ele escolheu, entre tantos povos, para ser seu povo; e entre tantos deuses que a antiguidade cultuava, Israel se comprometia a servir somente a Javé. Daí que a idolatria representava a quebra da aliança com Javé.

Na história do povo eleito, encontramos momentos especiais em que essa Aliança foi explicitamente renovada. O primeiro foi quando o povo acabou de conquistar a Terra Prometida, que foi repartida entre as doze tribos. Josué convocou o povo em Siquém para indagar se estavam firmes em sua veneração ao Deus único. E o povo

exclamou: "Longe de nós abandonar Javé para servir outros deuses!" (Js 24,16).
Mais tarde, no tempo do rei Josias, no ano 622 a.c., é descoberto no templo o livro da Lei e é feita uma solene leitura dele, para o povo renovar suas promessas. "Todo o povo aderiu à Aliança" – diz 2Rs 23,3.

Porém, nessa mesma época os profetas não se cansavam de avisar o povo a respeito de suas infidelidades, mostrando a iminência de castigos que haveriam de sobrevir, conforme as próprias palavras da Lei. O profeta Jeremias anunciou uma nova Aliança, com estas célebres palavras que falou em nome de Deus: "Eis que virão dias, em que concluirei com a casa de Israel e com a casa de Judá uma aliança nova. Não como a aliança que concluí com seus pais, no dia em que os tomei pela mão para fazê-los sair da terra do Egito – minha aliança que eles próprios romperam" (Jr 31,31s). Como fruto dessa aliança, o povo terá a remissão de seus pecados, cada um será responsável pessoalmente por seus atos e a Lei será gravada no coração do povo fiel.

Sem usar a expressão "nova aliança", mas citando sua fórmula clássica "Sereis meu povo e eu serei vosso Deus", o profeta Ezequiel fala de uma água pura que vai purificar o povo, de um coração novo que o povo vai receber e do espírito novo que como água fecundante será em todos uma fonte de justiça e santidade.

Essa "nova aliança" é a que Jesus veio realizar, conforme Ele diz claramente na última ceia, ao passar o cálice a seus discípulos: "Esse cálice é a nova aliança em meu sangue" (Lc 22,20). Como vítima perfeita, que se oferece livremente a Deus, Jesus sela a nova e eterna aliança de Deus com a humanidade, substituindo o sangue das vítimas da aliança antiga. Cada vez que na Missa renovamos o sacrifício da Cruz, estamos confirmando nossa aliança iniciada no batismo.

12. Qual é o nome de Deus na Bíblia?

Os hebreus viviam no meio de povos pagãos que tinham cada qual seus deuses. Os egípcios adoravam Amom, Rá, Ísis, Osíris e dezenas de outros deuses. Os fenícios de Canaã cultuavam Baal e Astarte; Babilônia tinha como protetor Marduk. Do panteão greco-romano a Bíblia menciona Júpiter/Zeus e Mercúrio/Hermes em At 14,12. Era natural que também o Deus de Israel tivesse seu nome.

A Abraão Deus espontaneamente revelou seu nome El Shaddai (Gn 17,1), que costuma ser traduzido por Deus todo-poderoso, Deus das montanhas, mas o sentido é incerto. A mais célebre revelação do nome divino é aquela feita a Moisés em Êx 3,14, o qual pergunta pelo nome daquela Pessoa que falava com ele. Como resposta, ele ouviu: "Eu sou o mesmo Deus de Abraão, de Isaac e de Jacó". O nome então revelado é "Eu sou", que, colocado na 3ª pessoa, fica sendo "Ele é", em hebraico Javé, o famoso tetragrama divino *Yhwh*.

No Antigo Testamento temos especialmente três nomes para designar a divindade:

• **Elohim**, que aparece logo na primeira frase da Bíblia, é um plural majestático, derivado de El, que também é nome divino. Nomes como Samuel, Daniel, etc. são compostos com essa raiz El. Em nossas Bíblias é traduzido por "Deus".

• **Adonai** significa "Senhor" e é apresentado assim em nossas versões.

• **Javé** é o nome próprio de Deus no Antigo Testamento. Em português, nas traduções mais antigas colocavam como equivalente a palavra "Senhor", mas hoje em dia prefere-se manter o nome "Javé". Os nomes próprios terminados em –ias são compostos com esse nome divino.

Por exemplo, Adonias = "Javé é Senhor". Essa terminação –ias é em hebraico *yahu*, o tetragrama divino. Por respeito ao nome de Deus, os hebreus deixaram de pronunciá-lo. Em vez de Javé, falavam "Adonai" e por isso perdeu-se a pronúncia exata do Nome, mas pelas transliterações gregas pode-se supor que a pronúncia certa é Javé. De onde vem a pronúncia "Jeová"? A explicação é esta: Quando o texto bíblico recebeu vogais, colocaram no Tetragrama as vogais de "Adonai" para avisar que não se devia ler "Javé" e sim "Adonai". Então, resultou uma forma híbrida: as consoantes de "Javé" com as vogais de "Adonai". Sendo que o primeiro "a" é breve, é equivalente a "e". Daí nasceu a palavra Jeová, que é simplesmente uma pronúncia errônea. Fazendo uma comparação: Como você fala o nome da capital dos Estados Unidos: você fala "uoxinton" ou fala "vasington" do jeito que se escreve?

Javé Sabaot, ou Javé dos Exércitos, é outro nome muito comum para Deus, sobretudo nos últimos profetas. Aparece também na visão de Isaías 6,5. Na nossa liturgia foi traduzido por "Senhor, Deus do universo", mas o sentido original é discutido: pode tratar-se dos exércitos do povo eleito, ou dos anjos, ou dos astros ou das forças cósmicas.

Pai é o nome com que Jesus rezava. O original hebraico "Abba", "meu pai", foi usado por Jesus (Mc 14,36) e pelos cristãos (Rm 8,16; Gl 4,6) e conservado tal e qual no grego do Novo Testamento, significando intimidade entre Deus e seus filhos.

Quando me perguntam qual é o nome de Deus na Bíblia, respondo sem pestanejar que é "Pai, Filho e Espírito Santo". Os outros nomes eram provisórios.

35

II

As Leis de Deus e os costumes humanos

13 Por que a Igreja Católica não segue o mandamento de santificar o sábado?

É verdade que a Bíblia no Antigo Testamento mandava observar o sábado como dia santo, dia em que Deus repousou depois de ter criado o mundo. Diz Gn 2,2s: "No sétimo dia, Deus concluiu a obra que havia feito; e descansou de todo o seu trabalho no sétimo dia. Deus abençoou o sétimo dia e o consagrou, porque nele descansou de todo o trabalho que havia feito na criação". Ao propor o Decálogo com as cláusulas da Sua aliança com o povo eleito, Deus dirá: "Lembra-te do dia de sábado, para santificá-lo" (Êx 19,8). Preceito repetido em Dt 5,12. A palavra *sábado* vem de uma palavra hebraica que significa repouso, descanso.

A Igreja é guiada pelo Espírito Santo e tem a faculdade, concedida por Jesus, de "ligar e desligar", isto é, proibir e prescrever: "Tudo o que ligardes na terra será ligado no céu" (Mt 18,18).

O Concílio Vaticano II ensina: "Devido à tradição apostólica que tem origem no próprio dia da ressurreição, a Igreja celebra o mistério pascal a cada oitavo dia, no dia com razão chamado o dia do Senhor ou domingo" (SC 106). Domingo em latim se diz *dies dominica*, que significa dia do Senhor. Sim, Cristo ressuscitou no dia depois do sábado, chamado primeiro dia da semana

39

e desde então esse passou a ser o dia santo dos cristãos, porque o mistério da Redenção realizado na Páscoa de Cristo é maior do que a criação do mundo. Ressuscitando no Domingo, o primeiro dia da semana, Jesus inaugurou assim a "Nova Criação" liberta do pecado, a nova e eterna Aliança entre Deus e a humanidade. Assim é que o Domingo, o Dia do Senhor, é a plenitude do Sábado dos judeus, da mesma forma como o Novo Testamento é a plenitude e o cumprimento do Antigo, e Cristo é a consumação de toda a história da salvação, desde Adão até o fim dos tempos e o Juízo final.

Escreve São Jerônimo: "O dia do Senhor, o dia da ressurreição, o dia dos cristãos, é o nosso dia. É por isso que ele se chama dia do Senhor: pois foi nesse dia que o Senhor subiu vitorioso para junto do Pai. Se os pagãos o denominam "dia do sol", também nós o confessamos de bom grado; pois hoje levantou-se a luz do mundo, hoje apareceu o sol de justiça cujos raios trazem a salvação".

O próprio Novo Testamento manifesta que os primeiros cristãos se reuniam no dia do Senhor para celebrar a memória do seu Senhor. Jesus apareceu aos discípulos no dia da Páscoa, que foi um domingo, e oito dias depois novamente (Jo 20,19.26). At 20,7 nos conta que em Trôade a comunidade cristã se reuniu no primeiro dia da semana para partir o pão, isto é, para celebrar a Eucaristia. São Paulo prescreve aos coríntios que a coleta para as igrejas se faça no primeiro dia da semana (1Cor 16,2). Ap 1,10 usa a expressão dia do Senhor para situar a visão que teve João na ilha de Patmos. São Justino, que viveu no século II, informa que "no dia do Sol, como é chamado, reúnem-se no mesmo lugar os habitantes, quer das cidades, quer dos campos; leem-se, na medida em que o tempo o permite, ora os comentários dos Apóstolos, ora os escritos dos Profetas..." E continua a descrever o que era a reunião dominical dos cristãos, a saber, a celebração da Eucaristia.

14 Por que a Igreja venera as imagens se a Bíblia as proíbe?

Explica-se a insistência do Decálogo na proibição das imagens (Êx 20,4; Dt 5,8) pela inclinação dos povos antigos à idolatria e porque Israel tinha vivido entre os egípcios que eram propensos a venerar qualquer tipo de imagem. O ídolo era considerado o próprio deus. A proibição visa, mais que às imagens em si mesmas, ao perigo que havia de falsificar a verdade tanto em seus princípios como em sua aplicação religiosa. O motivo alegado era que Deus tinha falado sem imagens no Horeb. O episódio do bezerro de ouro adorado pelos israelitas (Êx 32) mostra como era real o perigo de cair na idolatria. Quando este perigo não existe ou as imagens ajudam o dogma e o culto, mais que rejeitá-las, deve-se admiti-las. No próprio Antigo Testamento Deus manda fazer imagens, como é o caso dos querubins da Arca da Aliança (Êx 25,18) e a serpente de bronze (Nm 21,6-9), que é um anúncio de Cristo conforme Jo 3,14s. Não foram fabricadas para serem objeto de culto.

Depois da Encarnação de Deus em Jesus, pode-se representar a divindade encarnada com toda propriedade por meio de imagens. Assim entendeu o grande defensor das imagens, São João Damasceno, que escreveu no século VIII: "Antigamente Deus, que não tem corpo nem aparência, não podia em absoluto ser representado por uma imagem. Mas agora que se mostrou na carne e viveu com os homens, posso fazer uma imagem daquilo que vi de Deus". E cita 2Cor 3,18: "Com o rosto descoberto, contemplamos a glória do Senhor."

O II Concílio de Niceia, de 787, definiu que "as veneráveis e santas imagens ... devem ser colocadas nas santas igrejas de Deus...", reconhecendo oficialmente como legítimo o culto às imagens, porque esse culto é prestado ao personagem representado e não à imagem como tal.

"A contemplação dos ícones santos, associada à meditação da Palavra de Deus e ao canto dos hinos litúrgicos, entra na harmonia dos sinais da celebração para que o mistério celebrado se grave na memória do coração e se exprima em seguida na vida nova dos fiéis" (CIC § 1162).

15 *Por que Moisés e os hebreus levaram 40 anos para chegar à Terra Prometida?*

Temos na Bíblia três livros – Êxodo, Números e Deuteronômio – que contam o que aconteceu na caminhada dos hebreus desde a saída do Egito até a chegada em Canaã. Esses livros reúnem histórias, leis e discursos, além de muitas repetições, de modo que não é fácil estabelecer a sequência dos fatos.

O caminho mais reto seria seguir pela beira-mar e a viagem poderia ser feita em apenas 15 dias. Mas os israelitas iriam encontrar os filisteus e provavelmente seriam derrotados por aquele povo poderoso e aguerrido. Deus tinha seus planos ao conduzi-los pelo caminho mais longo. Assim, o Senhor fez o povo dar a volta pelo deserto, seguindo o caminho que leva ao mar Vermelho. Conforme Êx 13,21, "durante o dia o Senhor ia adiante deles, numa coluna de nuvem, para guiá-los no caminho, e de noite, numa coluna de fogo, para iluminá-los, e assim podiam caminhar de dia e de noite." Depois da milagrosa travessia do Mar Vermelho, no terceiro mês após a saída do Egito, o povo acampou diante da montanha do Sinai. Aí aconteceu a manifestação de Deus a Moisés, com o dom da aliança e dos dez mandamentos (Êx 19 e 20). A partir daí, aquele bando de escravos fugitivos transformou-se no povo escolhido de Deus. "Mas nossos pais se orgulharam, não obedeceram aos teus mandamentos, esquecidos das maravilhas que havias feito por eles" (Ne 9,16s).

II. As Leis de Deus e os costumes humanos

Quando chegou a hora de entrar em Canaã, faltou ao povo coragem e confiança em Deus para enfrentar o desafio da conquista. Os capítulos 13 e 14 de Números contam como Israel revoltou-se contra Moisés e Aarão e até falaram em regressar ao Egito. A resposta de Deus foi um severo castigo: "Juro que não entrareis neste país, exceto Caleb, Josué e os vossos filhos" (Nm 14,30). Esse castigo atingiu também Moisés e Aarão, aos quais Deus disse: "Visto que não crestes em mim, não fareis entrar essa assembleia na terra que lhe dei" (Nm 20,12). A morte de Aarão está narrada em Nm 20,28 e a de Moisés em Dt 34,5, tendo ele avistado ao longe, do alto do monte Nebo, a terra prometida.

O restante da história é contado brevemente em Dt 2,14: "De Cades Barne até cruzar a torrente Zared demos voltas por trinta e oito anos, até que se extinguisse do acampamento toda a geração de guerreiros, conforme o Senhor lhes tinha jurado".

16. Por que Deus não permitiu que Moisés entrasse na Terra Prometida?

O episódio está narrado em Nm 20,8-12. Por ordem de Deus, Moisés deve bater na rocha com a vara para fazer brotar água para o povo sedento. Antes de cumprir a ordem, ele disse ao povo: "Ouvi, ó rebeldes! Poderemos fazer brotar água da rocha para vós?" E bateu duas vezes na rocha com a vara, diz o v. 11. Em continuação, Javé diz a Moisés e a Aarão: "Visto que não crestes em mim, de modo a manifestar minha santidade aos olhos dos israelitas, vós não introduzireis esta comunidade na terra que lhe dou" (v. 12).

Alguns comentadores dizem apenas que essa falta de Moisés permanece misteriosa e não acham nada de errado no fato de ele bater duas vezes na rocha com a vara. Para outros, esse gesto demonstrou uma certa falta de fé. Outros dizem que seu pecado foi não executar exatamente o plano divino de misericórdia; em vez disso, repreendeu o povo com um certo enfado e sarcasmo, mudando assim todo o caráter do evento pretendido por Deus. Por sua falta de fé deixou de glorificar e santificar o nome de Deus diante do povo. O Sl 106 diz que "os israelitas irritaram Moisés junto às águas de Meriba e Moisés sofreu por causa deles, pois aborreceram seu espírito e ele pronunciou palavras temerárias" (v. 32s). Podemos interpretar as palavras de Moisés neste sentido: "Vocês merecem que Deus lhes conceda esse milagre da água da rocha?" Não é que tenha duvidado do poder divino, do qual tinha tido tantas provas, mas lembrando-se da cólera de Deus, que já tinha querido aniquilar o povo, ele podia se perguntar se Deus se deixaria comover outra vez. Sua dúvida seria, pois, sobre os limites da misericórdia divina. Em outros lugares (Dt 1,37; 3,26; 4,21) Moisés participa da punição do povo por causa dos fatos narrados em Nm 13—14: amedrontados com os relatos dos exploradores que percorreram a terra de Canaã, não tiveram a coragem de empreender logo a conquista: "Javé irritou-se contra mim por vossa causa, e jurou que eu não passaria o Jordão e não entraria na boa terra que Javé, vosso Deus, está para vos dar em herança" (Dt 4,21).

17 Como entender Êx 20,5s: Eu sou um Deus que castiga...

Êx 20,5-6 diz assim: "Eu sou o Senhor, teu Deus, um Deus apaixonado, que castigo a iniquidade dos pais nos filhos até a terceira e a quarta geração dos que me odeiam; mas uso de misericórdia até a milésima geração com aqueles que me amam e observam meus mandamentos."

Esse texto faz parte do anúncio dos Dez Mandamentos, é uma motivação para o primeiro deles, que prescreve

II. As Leis de Deus e os costumes humanos

o culto ao Deus único e condena a idolatria. Um texto paralelo a este é Dt 5,9-10, que também expõe o Decálogo.

Encontra-se uma formulação semelhante em Êx 34,6s, onde Deus se revela como "Deus compassivo e misericordioso, lento para a cólera e rico em bondade e em fidelidade, que conserva a misericórdia por mil gerações, que perdoa a iniquidade, a transgressão e o pecado, mas que também não inocenta o culpado, que pune a iniquidade dos pais nos filhos e nos netos até a terceira e a quarta geração".

Falando com palavras humanas, como se Deus tivesse os mesmos sentimentos humanos, a Bíblia diz muitas vezes que Deus é ciumento, zeloso, apaixonado em seu amor, e sente-se ofendido quando o povo que Ele escolheu não reserva somente a Ele o seu amor, mas adora os deuses dos pagãos. A Aliança que Deus fez com seu povo é comparada a um matrimônio (Os 2,21s), e a infidelidade à Aliança é tida como adultério ou prostituição.

A reação de Deus diante do pecado é a ira, a cólera, o castigo, embora Deus se mostre "lento para a cólera", ou seja, sabe dar um prazo para a conversão do povo pecador. Sendo três vezes santo, Deus não pode deixar de se opor ao mal. Ao pecado e à injustiça Deus opõe resistência, reage com indignação. A santidade de Deus é que o leva a castigar o mal e recompensar o bem. A Bíblia diz que a ira de Deus dura um instante, ao passo que sua misericórdia é eterna.

Esses dois textos (Êx 20 e Êx 34) revelam Deus como Salvador amoroso que perdoa os pecados e associam o amor divino à sua justiça. A justiça retributiva está subordinada ao amor que perdoa; é o amor que tem a última palavra nos desígnios de Deus. O Deus que salva é o mesmo que julga.

Mas como entender que Deus castiga nos filhos o pecado dos pais? É que na cultura antiga, era forte o sentimento de pertencer a uma família e a uma tribo, de modo

45

que, pela lei da solidariedade, o procedimento bom ou mau do chefe tinha consequências para a sorte de seus descendentes. Os filhos de bons pais eram recompensados, como os filhos de maus pais sofriam penas. Assim, o profeta Amós anuncia ao sacerdote Amasias que, por causa do seu mau proceder, "teus filhos e tuas filhas cairão pela espada" (Am 7,17). Mais tarde Ezequiel afirmará a responsabilidade pessoal de cada um: "Aquele que pecou é o que morrerá; o filho não paga pela iniquidade do pai" (Ez 18,20).

18 Como entender o Deus "vingativo" que muitas vezes aparece no Antigo Testamento?

Ainda hoje se ouve dizer que o Deus do Antigo Testamento é vingativo e irado, enquanto no Novo Testamento Ele se mostra bom e misericordioso. É uma visão redutiva e imprópria, que não leva em conta muitas afirmações da lei e dos profetas.

Em Roma, pelo ano 135 d.C., Marcião ensinava que se devia distinguir entre o Deus justo e irado do AT e o Deus misericordioso do NT. Com isto questionava a unidade da história da salvação e a correspondência entre a antiga e a nova aliança, assim como, em última análise, o testemunho unitário da Bíblia e a unidade do AT e do NT. O que estava em jogo era a unidade do Deus único, que é, ao mesmo tempo, justo e misericordioso.

A pergunta é como pode a justiça de Deus ser compatível com a circunstância de Ele ser misericordioso e não castigar os pecadores? Segundo a Bíblia, a justiça divina não é a justiça punitiva, mas sim a justiça justificante e, por conseguinte, é a misericórdia de Deus. A misericórdia deve ser entendida como a própria justiça de Deus, como a sua santidade. O Evangelho ensina a justificação do pecador, mas não a dos pecados; é por essa razão que devemos amar os pecadores, mas detestar os seus pecados.

É certo que existem de fato, textos do AT que falam do extermínio e da expulsão da população pagã de cidades e de povos inteiros por ordem de Deus (Dt 7,21-24; 9,3; Js 6,21). Precisamos levar em conta o processo da progressiva transformação crítica da ideia de Deus dentro do AT, e do desenvolvimento interno do AT até o NT. Afinal de contas, os dois Testamentos dão testemunho de um mesmo Deus.

Ainda no Antigo Testamento Deus proclama o fim de todas as guerras. No Salmo 46,10 lemos que Ele "põe fim às guerras até os confins do mundo; quebra os arcos, despedaça as lanças e põe fogo nos carros". O profeta Isaías anuncia que os povos "transformarão suas espadas em relhas e suas lanças em podadeiras" (Is 2,4).

Em virtude da sua santidade, Deus não pode deixar de se opor ao mal. A Bíblia chama a isso "ira divina". É possível que muitos se escandalizem ao ouvir esta expressão, considerando-a inapropriada. Mas a expressão "ira de Deus" não designa um ímpeto de cólera emocional que leva a um furioso ataque com golpes violentos. A "ira" de Deus não é como a ira humana; é a resistência que Deus opõe ao pecado e à injustiça. A ira de Deus é, por assim dizer, a expressão ativa e dinâmica da sua essência santa. Por isso a ideia da justiça divina não pode ser apagada da mensagem do AT nem da do NT. Em virtude da sua santidade, Deus não pode senão castigar o mal e recompensar o bem. Em um mundo injusto, a demonstração da justiça é já uma obra de misericórdia para com aqueles que estão privados de direitos e para os oprimidos.

A primeira reação de Javé ao pecado é a sua ira; fala-se em um castigo até a terceira e quarta geração; no mesmo texto, porém, afirma-se que a sua misericórdia permanece até a milésima geração: "Javé, Deus compassivo e clemente, paciente, misericordioso e fiel, que conserva a misericórdia até a milésima geração, que perdoa culpas, delitos e pecados, embora não deixe impune e sem castigo a culpa dos pais nos filhos, netos e bisnetos" (Êx 34,6s na tradução da Bíblia do Peregrino). Santo Agostinho escreveu: "É mais fácil que Deus contenha a ira do que a misericórdia". A ira de Deus dura um instante, ao passo que "a sua misericórdia é eterna". Essa frase é um refrão repetido 26 vezes no Salmo 136/135. Se Deus se detivesse na justiça, deixaria de ser Deus; seria como todo ser humano que exige o respeito à lei. A justiça por si só não é suficiente, e a experiência mostra que, limitando-se a apelar para ela, corre-se o risco de a destruir. Por isso Deus, com a misericórdia e o perdão, passa além da justiça.

São palavras do teólogo Walter Kasper: "O termo 'compaixão' não pode ser entendido unicamente como conduta caritativa, mas é necessário escutar como ressoa nele a palavra 'paixão' e perceber a reação apaixonada às injustiças clamorosas existentes no nosso mundo, bem como o clamor pela justiça. É o que chamamos 'indignação'. Já nos profetas do AT e, mais tarde, no último dos profetas, João Batista, bem como, por último, no próprio Jesus, é possível ouvir com total clareza esse clamor. Não se pode perder de vista as numerosas palavras de dura condenação do mal contidas tanto no Antigo Testamento como no Novo."

19 Como o povo do Antigo Testamento acreditava na vida após a morte?

O n. 15 da Constituição Dogmática *Dei Verbum* sobre a Revelação Divina ensina: "A economia do Antigo Testamento estava ordenada principalmente para preparar a vinda de Cristo, redentor de todos, e de seu Reino Messiânico, para anunciá-la profeticamente (cf. Lc 24,44;

II. As Leis de Deus e os costumes humanos

Jo 5,39; 1Pd 1,10) e dá-la a conhecer através de várias figuras (cf. 1Cor 10,11). Os livros do Antigo Testamento, em conformidade com a condição do gênero humano dos tempos anteriores à salvação realizada por Cristo, manifestam a todos o conhecimento de Deus e do homem e os modos pelos quais o justo e misterioso Deus trata com os homens. Estes livros, *embora contenham também algumas coisas imperfeitas e transitórias* (o grifo é nosso) manifestam, contudo, a verdadeira pedagogia divina. Por isto, devem ser devotamente recebidos pelos cristãos esses livros que exprimem um sentido vivo de Deus e contêm sublimes ensinamentos acerca de Deus e uma salutar sabedoria concernente à vida do homem e admiráveis tesouros de preces, nos quais enfim está latente o mistério de nossa salvação."

A revelação não foi dada toda de uma vez, mas aos poucos e de modo progressivo. O próprio Deus diz a Moisés em Êx 6,3: "Apareci a Abraão, a Isaac e a Jacó, como o Deus todo-poderoso, mas com meu nome 'Javé' não me dei a conhecer a eles". A revelação deste Nome estava reservada a Moisés e a seus contemporâneos.

Assim também, a existência de uma vida após a morte foi sendo esclarecida aos poucos. Podemos comparar o tempo do Antigo Testamento com uma noite que vai sendo iluminada pela aurora, até surgir o Salvador, o "sol da justiça" (Ml 4,2), para o qual toda a revelação estava orientada.

Os antigos hebreus pensavam que todos os mortos, bons e maus, iam para um mesmo lugar, subterrâneo, onde viviam como sombras, em um sono que os desligava de tudo (Sl 6,6), até mesmo de Deus (Sl 88/87,11ss). Neste lugar distante de tudo, chamado "xeol" em hebraico e "hades" em grego, reina o silêncio, no meio de trevas opacas. Seus habitantes não têm esperança, nem atividade alguma e ficam em um total esquecimento de Deus (Sl 30/29,10). Daí a importância dada à retribuição nesta vida terrena.

O livro do Eclesiastes tem expressões chocantes aos nossos ouvidos, como esta em 3,19: "A sorte dos homens e a dos animais é a mesma; como morrem estes, morrem aqueles; têm todos o mesmo sopro vital. Não existe superioridade do homem em relação aos animais, porque tudo é vaidade". Mas o mesmo livro, no capítulo final, diz que na morte do ser humano "o pó retorna à terra, como era antes, e o espírito volta a Deus que o deu" (12,17).

Quando os Apóstolos, em sua pregação, proclamam a ressurreição de Jesus, utilizam textos do Antigo Testamento, inclusive o Sl 16/15,10: "Não abandonarás minha alma no Hades nem permitirás que teu santo veja a corrupção" (At 2,27). Outro salmo diz o seguinte: "Deus resgatará minha vida das garras do Xeol, e me tomará" (49/48,16). O salmista imagina uma sorte final diferente para bons e maus. A intimidade com Deus vivida nesta terra não deve terminar com a morte. Podemos citar também Is 26,19 como testemunho de uma esperança de vida futura: "Os teus mortos tornarão a viver, os teus cadáveres ressurgirão".

Nos livros mais recentes do Antigo Testamento a esperança de uma vida futura vai aparecer com bastante clareza, por exemplo, quando Daniel diz: "Muitos dos que dormem no solo poeirento acordarão, uns para a vida eterna e outros para o opróbrio". Mais explícito ainda é o testemunho de um dos sete irmãos Macabeus, que disse, diante do algoz que o torturava: "O Rei do mundo nos fará ressuscitar para uma vida eterna" (2Mc 7,9).

Assim chegamos ao Novo Testamento, quando havia desacordo entre saduceus e fariseus a respeito da ressurreição. Os primeiros não acreditavam nessa doutrina, ao contrário dos outros, e chegaram a propor a Jesus a questão dos sete irmãos para ridicularizar a crença na vida futura (Lc 20,27-38 e paralelos). Jesus responde citando Êx 3,6 e comenta: "Deus não é um Deus de mortos e sim de vivos; pois para ele todos vivem". A união com Deus assegura a vida para sempre. O amor de Javé não permite que seus filhos permaneçam na morte.

20 Ainda estão em vigor as leis do livro do Levítico?

Essa pergunta merece ser respondida, não só no tocante ao livro do Levítico, mas a toda a lei mosaica que se encontra também nos livros do Êxodo, Números e Deuteronômio. Trata-se de definir o que continua valendo para o cristão de hoje dentre todas as coisas que havia na lei antiga. Jesus disse que não veio abolir a Lei nem os Profetas (Mt 5,17), mas veio dar pleno cumprimento à Lei, com uma forma nova e definitiva. Ele próprio dá vários exemplos, entre os quais a modificação que faz da lei do talião "Olho por olho, dente por dente", dizendo: "Não resistais ao mau" (Mt 5, 38s).

Devemos distinguir as diversas espécies de leis: civis, penais, cerimoniais, alimentares e lei moral.

As leis civis tratavam do direito à vida, do casamento, do divórcio, das heranças, da escravidão, das propriedades, entre outras coisas. O código penal reunia as punições para quem violasse essas leis. Por exemplo: "O homicida será morto" (Nm 35,16). "O homem que cometer adultério com a mulher do seu próximo deverá morrer, tanto ele como sua cúmplice" (Lv 20,10). Nos tempos modernos, com a separação dos poderes, não cabe à Igreja determinar e executar essas penalidades.

Leis cerimoniais são aquelas que determinam os ritos com os quais o povo devia honrar a Deus. Indicam as grandes festas do ano, as romarias, os sacrifícios, os dias de jejum, as faltas cultuais e descrevem os diversos ritos. O sacrifício de Jesus na cruz tomou o lugar dos sacrifícios antigos e vale mais que todos eles. Ele próprio instituiu na Igreja sete sacramentos, que são a parte essencial de nossas celebrações. Mas ainda conservamos certas festas dos judeus como Páscoa e Pentecostes, embora com outro significado. A Bíblia deles, com todos os seus livros, faz parte da nossa e é por nós venerada como preparação para a era cristã. Os mesmos salmos que eles rezavam constituem o centro da Liturgia das Horas da nossa Igreja.

Leis alimentares são principalmente as que distinguiam os animais entre puros e impuros (Lv 11), definindo quais eram as carnes permitidas na mesa dos antigos hebreus. Mas Jesus disse claramente que na nova lei todos os alimentos seriam puros (Mc 7,19).

Leis morais são os dez mandamentos dados por Deus a Moisés no Sinai. Algumas dessas leis como "não matar", "não furtar", fazem parte da lei natural, que o Concílio Vaticano II descreveu com estas palavras: "Na intimidade da consciência, o homem descobre uma lei, chamando-o sempre a amar e praticar o bem e evitar o mal. Ele não a dá a si mesmo. Mas a ela deve obedecer" (GS 16). A respeito dessas leis é que Jesus disse que não veio abolir, mas dar pleno cumprimento. E acrescentou que a nossa justiça deve ser maior que a dos fariseus, pois vivemos em um tempo de graça extraordinária (Mt 5,20).

21 Ainda vale a proibição de a mulher vestir roupa de homem e vice-versa?

É Dt 22,5 que diz: "A mulher não deve usar roupa de homem, nem o homem usará roupa de mulher, porque todo aquele que age assim é abominação para o Senhor". Pessoas que interpretam a Bíblia sem base histórica concluem que esta norma tem que ser observada ainda hoje e impõem em suas igrejas costumes ultrapassados. Temos que perguntar o que era roupa de homem e roupa de mulher no tempo do Deuteronômio.

II. As Leis de Deus e os costumes humanos

Isto é colocar a Bíblia no contexto histórico em que ela foi escrita. Mas para isso precisamos conhecer o mundo antigo em suas várias fases. Ora, leis mosaicas como esta referiam-se a costumes da época antiga. Quais? Sabemos que as túnicas eram usadas por ambos os sexos. Os homens não usavam calças compridas. E temos de lembrar que as tribos de Israel viviam rodeadas de povos pagãos, por exemplo, eram vizinhas dos cananeus e sofriam sua influência. A palavra "abominação" refere-se a algo repugnante que o Senhor odeia, algo que conspurca a pureza da religião de Israel. Na Bíblia essa palavra aparece em relação com a idolatria e as consequentes impurezas dos cananeus. A forma como esta palavra é usada pode ser um indício de que os cananeus intercambiavam suas roupas em seus cultos.

A razão da proibição da prática não é porque favorecia a imoralidade ou porque contradizia a ordem divina da distinção dos sexos, mas porque lembravam certas práticas em uso nos cultos pagãos dos cananeus, que eram ocasião de escândalos grosseiros. A conclusão é que esta norma não é para ser observada em nossos dias; a intenção do legislador não era decretar uma moda para sempre. Mas as igrejas que seguem essa determinação ao pé da letra acham que os católicos esquecem ou até ignoram o que está na Bíblia, e praticam coisas condenadas na Bíblia e não têm razão ao criticar outras igrejas que observam esses preceitos.

Acontece que a Igreja Católica já está lendo a Bíblia há 2000 anos. Não existe frase nem palavra que a Igreja desconheça. A Bíblia é uma biblioteca, mas toda ela já foi estudada e comentada palavra por palavra. Os evangélicos não vão nos surpreender mostrando uma frase que a gente nunca tivesse lido... O que se passa então com as frases que falam de roupa e corte de cabelo? A Igreja ensina a modéstia e a decência, e que ninguém escandalize o outro pelo seu modo de vestir. Mas não dita modas nem corte de cabelo porque isso varia conforme a época. Se o homem usa cabelo comprido e a mulher cabelo curto, isto não é ofensa a Deus, não é falta de amor ou de respeito. A Bíblia foi escrita na Igreja e para a Igreja e só pode ser corretamente interpretada pela Igreja.

A veste humana tem muitos significados, inclusive o de distinguir determinadas categorias de pessoas, como militares, médicos, esportistas, religiosos. Mesmo com toda a modernidade de hoje, em uma loja de roupas é possível distinguir o que se destina à mulher e ao homem. É certo que a roupa diz muito sobre o caráter e a personalidade de alguém. Já aconteceu que pessoas perderam o emprego só por causa do seu jeito de vestir. Na escolha das roupas também interfere a idade, a posição social, o clima, o ambiente.... Grande importância deve ser dada ao bom senso, à modéstia, ao pudor. Existe também uma roupa própria para cada lugar; por exemplo, não se vai à igreja com a mesma roupa com a qual se vai a um baile. Uma boa recomendação está em 1Tm 2,9: "Que as mulheres se vistam com decência, adornando-se de pudor e modéstia". O corpo humano é templo do Espírito Santo (1Cor 6,19) e deve ser respeitado.

22 Qual a posição de Jesus diante da lei do Antigo Testamento?

Jesus falou que não veio abolir a Lei, mas cumpri-la (Mt 5,17). Veio completá-la, dar-lhe cumprimento. Portanto não podemos dizer que a lei não tem valor algum para o cristão; mas ela é incompleta, porque Jesus é que dá seu verdadeiro sentido. Logo em seguida, Ele dá o sentido "completo" de alguns mandamentos da lei. O mandamento "não matar" Jesus o estende ao ódio (Mt 5,21-26); o mandamento de "não cometer adultério" inclui também o mau desejo (Mt 5,27-30); o mandamento sobre o divórcio é ab-rogado (Mt 5,31s), porque era permitido por Deus por causa da dureza dos corações humanos, mas não era assim nos planos divinos (Mt 19,3-9). O mandamento de "não jurar falso" fica sem valor, porque Jesus ordena que não se jure absolutamente (Mt 5,33-37). O ditado "olho por olho, dente por dente", que limitava de certo modo a vingança, é substituído pelo "ama teu próximo", contradizendo a interpretação dos doutores de que se podia odiar o inimigo (Mt 5,43-47).

Os Evangelhos mostram em várias oportunidades Jesus em discussão com os fariseus sobre a interpretação de pontos da lei mosaica, por exemplo, a questão do sábado e do jejum. Jesus lhes mostrava aquilo que dirá São Paulo: "A letra mata, o espírito é que dá vida" (2Cor 3,6).

Diz magistralmente o Concílio Vaticano II, na Dei Verbum, 15 e 16:

> A "economia" do Antigo Testamento destinava-se sobretudo a preparar, a anunciar profeticamente (cf. Lc 24,44; Jo 5,39; 1Pd 1,10) e a significar com várias figuras (cf. 1Cor 10,11) o advento de Cristo, redentor universal, e o advento do Reino messiânico. E os livros do Antigo Testamento, segundo a condição do gênero humano antes da era da salvação operada por Cristo, manifestam a todos o conhecimento de Deus e do homem, e o modo como Deus, justo e misericordioso, trata os homens. Tais livros, apesar de conterem também coisas imperfeitas e passageiras, revelam uma verdadeira pedagogia divina. Por isso, os fiéis devem recebê-los com devoção, pois exprimem um vivo sentido de Deus, contêm ensinamentos sublimes sobre Deus, uma útil sabedoria sobre o que é a vida humana, bem como admiráveis tesouros de preces; neles está oculto, finalmente, o mistério da nossa salvação.
> Foi por isso que Deus, inspirador e autor dos livros dos dois Testamentos, dispôs sabiamente que o Novo Testamento estivesse escondido no Antigo, e o Antigo se

tornasse claro no Novo. Pois, apesar de Cristo ter alicerçado a Nova Aliança no seu sangue (cf. Lc 22,20; 1Cor 11,25), os livros do Antigo Testamento, integralmente aceitos na pregação evangélica, adquirem e manifestam a sua significação completa no Novo Testamento (cf. Mt 5,17; Lc 24,27; Rm 16,25s; 2Cor 3,14ss), que por sua vez o iluminam e explicam.

Podemos comparar a Bíblia a uma árvore, cuja raiz é o Antigo Testamento, ou a um edifício, que tem como base o Antigo Testamento. São Paulo escreve a Timóteo que "toda a Escritura é inspirada por Deus e é útil para ensinar, convencer, corrigir e educar para a justiça" (2Tm 3,16). Seria um erro rejeitar o Antigo Testamento como ultrapassado, agora que temos o Novo.

O código penal que vigorava no Antigo Testamento não tem mais força de lei; por exemplo, ninguém em sã consciência diria hoje que os adúlteros, os blasfemos, os idólatras e os violadores do sábado devem ser punidos com a morte. Mas é o que está literalmente na lei mosaica.

As leis do culto hebraico, que regiam os rituais do templo com seus sacrifícios e sacerdotes, também não têm mais sentido hoje. Jesus é o nosso sumo sacerdote e o verdadeiro templo de Deus.

Já São Paulo dizia que não é pela observância da lei que somos salvos, mas pela fé em Jesus Salvador.

Para nós, católicos, é fácil distinguir entre os muitos preceitos da lei antiga, quais são os que ainda temos de observar, pois nós temos o Magistério da Igreja, que interpreta para nós qual é a vontade de Deus para o cristão. Assim, por exemplo, o nosso dia santo semanal é o domingo e não o sábado, porque é assim que nos ensina a Igreja.

23 Por que no Antigo Testamento se fala tanto de sacrifícios de animais?

O ser humano sente necessidade de dar a Deus alguma coisa pelos benefícios que dele recebe. A pessoa louva, agradece, mas sente que precisa fazer mais. Diz o salmo 116/115,3: "Como retribuirei ao Senhor todo o bem que me fez?" Mesmo sabendo que Deus não precisa de seus dons, pois, como Criador do mundo, é dele tudo o que existe, o homem reserva para Deus uma parte de suas posses. Esse é o sentido do *dízimo*: devolver a Deus um pouco daquilo que Ele nos dá.

Nos rituais da lei mosaica, estão presentes vários tipos de ofertas a Deus. Deuteronômio 26,1s fala das ofertas das primícias, ou seja, dos primeiros frutos da terra, que deviam ser entregues no templo. Eram um sinal de que a terra pertence a Deus e cada pessoa administra aquilo que o Criador lhe concede. Um dos tipos de sacrifícios descritos no livro do Levítico é a oblação, ou oferta de farinha, azeite e outros produtos da terra. A palavra *sacrifício* significa "coisa sagrada ou consagrada", porque passou do domínio comum para a esfera divina. O sacrifício tornou-se um ato fundamental do culto externo, uma oração em forma de ação, para louvar a Deus, agradecer-lhe e pedir-lhe perdão pelas faltas cometidas.

O livro do Levítico descreve logo no início vários tipos de sacrifícios, começando pelo *holocausto*, palavra que significa "queima total", sendo a vítima inteiramente consumida. O sacrifício de comunhão é um outro ritual, que supõe uma partilha da carne da vítima entre Deus e o ofertante. O animal oferecido podia ser grande ou menor, como um carneiro ou cabrito. Havia também o "sacrifício pelo pecado", no qual um novilho era oferecido para expiar pecados cometidos por inadvertência.

No livro dos Números temos a prescrição dos sacrifícios cotidianos: "Cada dia, dois cordeiros de um ano, perfeitos, como holocausto perpétuo" (Nm 28,3), um de manhã e o outro ao crepúsculo.

Desde a saída do Egito, houve o costume de consagrar a Deus todo primogênito. A ocasião para introduzir essa lei foi a morte dos primogênitos egípcios descrita em Êx 12,29. As famílias dos hebreus foram poupadas do castigo, porque marcaram suas portas com o sangue do cordeiro pascal que imolaram naquela noite. A ordem de Deus a esse respeito está em Êx 13,2: "Consagra-me todo primogênito". A primeira cria dos animais pertencia a Deus e o primeiro filho de cada família era também oferecido a Deus em um ritual, mas era resgatado por meio da oferta de um animal. Assim, lemos em Lc 2,22ss que Maria e José apresentaram o Menino Jesus no templo levando uma oferta de animais: fizeram a oferta dos pobres, que era dois pombinhos.

O profeta Isaías fala que Deus aceitará os sacrifícios de todos os fiéis, sem excetuar ninguém, nem mesmo os estrangeiros: "Seus holocaustos e seus sacrifícios serão bem aceitos no meu altar. Com efeito, minha casa será chamada casa de oração para todos os povos" (Is 56,7).

Por outro lado, encontramos muitas vezes na Bíblia palavras que reprovam a hipocrisia e a falsidade no culto, mostrando que para Deus o que importa é afastar-se do mal e fazer o bem, buscar o direito e praticar a justiça (Is 1,10-20).

Sl 50/49,7-10.22: "Ouve, meu povo... não te acuso pelos teus sacrifícios, teus holocaustos estão sempre à minha frente; não tomarei um novilho de tua casa, nem um bode dos teus apriscos; pois são minhas todas as feras da selva, e os animais nas montanhas, aos milhares. (...) Ao homem íntegro mostrarei a salvação de Deus".

Miqueias é outro profeta que fala muito claro como viver o perfeito relacionamento com Deus: "Com que me apresentarei ao Senhor, e me inclinarei diante do Deus do céu? Porventura me apresentarei com holocaustos ou com novilhos de um ano? Terá o Senhor prazer nos milhares de carneiros ou nas libações de torrentes de óleo? (...) Foi-te anunciado, ó homem, o que é bom, e o que o Senhor exige de ti: nada mais do que praticar a justiça, amar a bondade e te sujeitares a caminhar com teu Deus" (Mq 6,6-8).

Todos os sacrifícios da antiga lei eram práticas provisórias, que anunciavam o verdadeiro Cordeiro que haveria de vir ao mundo para tirar todo pecado. Dando a vida por nós no Calvário, Jesus aboliu todos os outros rituais de expiação de pecados. Diz a Carta aos Hebreus que Ele "aboliu o pecado por meio do seu próprio sacrifício [...] Foi oferecido uma vez por todas para tirar os pecados da multidão" (Hb 9,26.28).

III

Símbolos e Significados

24 O que é anátema?

A palavra "anátema" tem vários sentidos na Bíblia. O sentido original do termo sugere alguma coisa ou pessoa que foi separada. Por isso, uma oferenda a Deus no templo pode ser designada com o termo grego "anathema", como em Lc 21,5, que em português se traduz por "oferta votiva". A ideia de separação está também na expressão jurídica "seja anátema", que indica excomunhão e aparece, por exemplo, nos cânones dos antigos Concílios Ecumênicos. Com este sentido, Paulo usa o termo em Gl 1,8s, condenando quem ousasse pregar um outro evangelho. Os inimigos de Paulo fazem em At 23,12 um juramento ou imprecação, chamando sobre si um castigo se não conseguissem tirar a vida de Paulo.

É discutido o significado de anátema em Rm 9,3, onde Paulo declara que queria ser anátema, separado de Cristo, em favor dos seus irmãos judeus. Há quem interpreta no sentido de oferta votiva, consagração a Deus, mas outros associam o texto ao que disse Moisés em Êx 32,32: "Cancela-me do teu registro", diz ele a Deus ao pedir perdão para o pecado do povo.

Anátema significa também "extermínio". O livro de Josué conta como o povo hebreu teve de conquistar a terra que Deus lhe concedia como herança. A conquista acontecia por meio de uma "guerra santa" que tinha suas leis próprias. É o que lemos em Dt 20: "Quando te aproximares de uma cidade para atacá-la, tu lhe proporás a paz; se ela aceitar a paz e te abrir as portas, toda a população que nela habita trabalhará para ti e te servirá. Mas se não aceitar a paz e te fizer guerra, tu a sitiarás. Javé, teu Deus, a entregará em tuas mãos" (v. 10-13). Nessa época, a guerra tinha caráter religioso. Javé tem o comando sobre seus guerreiros, é Ele que faz a guerra para Israel (Js 10,14), ou ajuda seus protegidos causando perturbação entre os inimigos. A presa conquistada nas batalhas pertencia a Javé, estava sujeita ao "anátema" (Nm 21,3). Conforme essa lei, os homens e os animais deviam ser mortos e os objetos preciosos são dados ao santuário. É um ato religioso, em cumprimento da ordem divina dada em Dt 7,2. Para os soldados, isto significava voltar para casa de mãos vazias. Toda desobediência neste ponto era severamente punida (Js 7,1). Essa era a lei, com a qual pensavam agradar a Deus.

A própria Bíblia mostra que a lei nem sempre foi aplicada. Já Dt 20,13s traz uma versão menos severa da lei: mulheres, crianças e animais são poupados. Depois dos tempos de Saul não se tem mais notícia do cumprimento do anátema, exceto em 1Rs 20,42, onde um profeta condena a desobediência do rei Acab nesse ponto.

Dentro do contexto da época, compreende-se que a lei prescreva o extermínio de todos os povos de Canaã, para prevenir toda forma de idolatria ou sincretismo; o anátema torna-se um instrumento para salvaguardar a pureza integral da religião. Havia uma preocupação muito viva com a fidelidade de Israel para com seu Deus, que a convivência com as demais nações poderia comprometer; pois a aliança supõe um compromisso incondicional.

Só nesta perspectiva é que se torna compreensível a insistência no extermínio dos povos que habitavam Canaã (Js 6,17.24; 11,12.14). Esta medida, que a uma simples leitura das narrativas poderia nos chocar, é mais teórica do que real. Ela foi imaginada posteriormente, por causa da experiência do perigo de idolatria, do qual Israel não escapou. O autor deuteronomista de Josué apresenta o seu herói como fiel cumpridor desse mandamento (6,8.26; 9,27; 10,28ss; 11,11ss.20s). Em Js e Dt anatematizar equivale a exterminar, mas por motivo religioso.

25 Jefté sacrificou sua filha?

A história de Jefté está nos capítulos 11 e 12 do livro dos Juízes. Guerreiro valente, devendo chefiar os hebreus na batalha contra os amonitas, faz um voto ao Senhor para pedir a vitória: "Se entregardes os amonitas em meu poder, o ser vivo que sair da porta de minha casa para vir a meu encontro, quando eu voltar são e salvo do combate, pertencerá ao Senhor e o oferecerei em holocausto" (Jz 11,31).

Jefté derrotou os amonitas e voltou vitorioso. "Quando estava chegando em casa, sua filha saiu para recebê-lo, dançando ao som de tamborins. Era sua filha única" (v. 34). O que aconteceu depois?

Os sacrifícios humanos não eram raros naquela época; existiram até mesmo em Israel, mas a lei israelita os proibia: Dt 12,31; Lv 18,21; 20,2; 2Rs 3,27;17,31; Sl 107,38. Existe um fato semelhante na história de Abraão, que ia imolar seu filho Isaac: Gn 22. O pai se desespera e joga a culpa na moça. Ela, ao contrário, está resignada: "Meu pai, se deste tua palavra ao Senhor, faze comigo segundo tua promessa" (v. 36). Apenas pediu um prazo de dois meses para vagar pelos montes chorando sua virgindade, isto é, o sofrimento de morrer sem deixar filhos.

Alguns comentadores acham que Jefté cumpriu seu voto simplesmente consagrando sua filha ao Senhor, como virgem, pelo resto de sua vida. São estas as suas razões: a) Jefté recebeu o dom do espírito do Senhor para vencer a batalha (11,29). Ora, esse mesmo espírito não permitiria que ele fizesse um voto contra a vontade de Deus. b) As palavras do voto sugerem que, se o ser vivo fosse um animal, seria oferecido em holocausto, mas se fosse um ser humano, pertenceria ao Senhor. c) a filha de Jefté tinha um prazo de dois meses até o cumprimento do voto, e certamente houve tempo bastante para algum sacerdote de um santuário fazer Jefté desistir de cometer aquele grave pecado.

Mas conforme opinião mais provável, o sacrifício aconteceu. Jefté certamente conhecia a prática dos sacrifícios humanos entre os povos vizinhos. Ter recebido o dom do Espírito, não significa que estaria imune a todo erro. A reação desesperada do pai no v. 35 e os dois meses para chorar a virgindade não se justificariam se a moça fosse viver em celibato a vida toda. O v. 39 diz claramente que "o pai cumpriu com ela a promessa que havia feito". Promessa absurda, porque só se pode prometer a Deus o que é lícito e bom. A palavra dada era irrevogável, principalmente quando era dada a Deus.

Para concluir, temos as lindas considerações do grande biblista espanhol Alonso Schökel, SJ: "A moça que sai dançando ao encontro de sua desgraça e que pede um adiamento da sua sentença só para chorar, é alguém que chega a nos comover. Mas também nos perturba. Ela é vítima de religiosidade autêntica, ou de preconceitos religiosos? É vítima oferecida ao Senhor da vida e da salvação, ou a um deus da guerra e da morte, um deus cruel que cobra as vitórias com vidas inocentes e jovens? Qual o sentido desse sacrifício? Quando muito, para ficar como lembrança de tempos superados, como advertência contra usos pagãos; quando muito, seu sentido é continuar denunciando a crueldade dos homens que continuam oferecendo vítimas humanas a seus ídolos seculares e cruéis. A filha de Jefté e suas companheiras ainda continuam vagando e chorando pelos montes..."

26 O que aconteceu no episódio de Saul e a necromante de Endor?

Conforme a narrativa de 1Sm 28,5, o rei Saul sentiu medo e pavor diante do enorme acampamento dos filisteus que vinham atacá-lo. Como de praxe, consultou Javé sobre o possível êxito do combate, mas em vão, não obteve resposta. Ele sabia que a lei proibia consultar feiticeiros ou adivinhos (Dt 18,10s), pois ao israelita bastava a palavra do Senhor para guiá-lo pelos caminhos da história. Aliás, ele próprio tinha expulsado do país tais infratores.

Agora, porém, não suporta o silêncio de Deus e manda procurar uma necromante para a consultar. Ele quer ouvir o profeta Samuel que já não estava neste mundo. E o profeta lhe prediz a derrota e o fim da vida para o dia seguinte.

A aparição de Samuel foi atribuída por alguns dos Santos Padres e escritores antigos a uma ilusão diabólica e a um truque da mulher. Explicam sua posição dizendo que se o próprio Deus se calava, o profeta dele, Samuel, não poderia falar. Mas, provavelmente a aparição foi real, embora não obtida pelas pseudo-artes da mulher. Pois o texto diz que ela dá um grito ao ver aparecer Samuel. Isto parece ser confirmado por Eclo 46,20: "Mesmo depois de sua morte foi consultado e revelou ao rei seu destino, levantando do sepulcro sua voz profética e profetizando a expiação da culpa". A realidade da aparição foi afirmada por diversos santos Padres e escritores eclesiásticos e também por Flávio Josefo (±37-100 d.C.). Deus teria permitido à alma de Samuel manifestar-se deveras e anunciar o futuro. Davi e seus 600 homens devem ser culpados por sua ausência no dia da batalha? A profecia de Samuel revelou a morte de Saul; não havia nada que Davi pudesse fazer.

27 A que corresponde exatamente o nome Sião?

Sião é um nome geográfico que aparece 150 vezes na Bíblia, sobretudo nos salmos e nos profetas. A primeira menção está em 2Sm 5,7, ao narrar a conquista de Jerusalém por Davi. Aí Sião é chamada de fortaleza, que passou a ser denominada a Cidade de Davi, pois se tornou sua capital. Essa fortaleza, que pertencia aos jebuseus, ocupava a colina de Ofel, entre os vales do Cedron e do Tiropeon, no sudeste da Jerusalém atual.

Quando Jerusalém se estendeu para o norte e para o oeste, o nome "Sião" passou a ser sinônimo poético de Jerusalém, designando a cidade toda e o conjunto de colinas sobre as quais estava edificada a cidade do grande rei, com seus palácios, torres e muralhas (Sl 48/47,13s). Já Isaías atribui a Sião uma missão de mãe, como esposa fecunda de Javé, papel que a torna figura da Igreja. Assim lemos em Is 62,1:

Por amor de Sião não me calarei,
por amor de Jerusalém não descansarei.

A equivalência entre Sião e Jerusalém é patente também em Zc 9,9: "Exulta muito, filha de Sião! Grita de alegria, filha de Jerusalém!"

O monte Sião é apresentado como habitação de Deus, dentro daquela visão das alturas como lugar preferencial da divindade. Tanto mais que ele se tornou residência do rei de Israel e lugar do Templo, no coração da antiga Jerusalém.

A partir dos Macabeus (séc. II a.c.), desaparece o nome Sião e o Novo Testamento só designa Jerusalém pelo nome de Sião nas citações do Antigo. Jerusalém será o centro espiritual de Israel porque nela reside Javé, sobre o monte Sião que Ele escolheu para morar (Sl 78/77,68s; Sl 132/131,13ss). Os fiéis sobem a ele em frequentes peregrinações (Salmos 120—134 ou 119—133) e têm sua alegria em nela morar (Sl 84/83).

Nos primeiros séculos do Cristianismo, Sião passou a ser o nome da colina a sudoeste de Jerusalém, onde se localiza o cenáculo, cenário da vinda do Espírito Santo sobre os Apóstolos, início da Igreja e por isso imagem da mesma Igreja.

Por último, existem hinos cristãos que usam a palavra Sião no sentido de glória celestial: "Ó Sião celeste, repouso dos santos, o teu arquiteto se chama o Senhor." Assim como se fala de uma Jerusalém messiânica e celestial, assim também Sião tem um sentido de eternidade feliz.

Como entender a expressão "filha de Sião"? É primeiramente o povo de Israel, simbolizado pela própria cidade de Jerusalém, situada no monte Sião. Mas o Concílio Vaticano II atribui a Nossa Senhora também o título de "excelsa Filha de Sião" (LG 55).

Disse o Papa São João Paulo II em um discurso em 26 de junho de 1983: "Maria pode ser chamada 'Filha de Sião', pois na sua pessoa chega ao auge e se concretiza a vocação da antiga Jerusalém e do inteiro povo eleito. Ela é a flor de Israel, desabrochada ao término de um longo itinerário, feito de luzes e de sombras, durante o qual Deus ia preparando Israel para acolher o Messias. Em Maria de Nazaré, Deus realiza com antecipação as promessas feitas a Abraão e à sua descendência."

Segundo muitos exegetas, na saudação do anjo Gabriel a Maria – "Alegra-te, cheia de graça, o Senhor está contigo" (Lc 1,28) – ouve-se como que o eco da mensagem jubilosa de Sofonias: "Rejubila, filha de Sião, o Senhor está no meio de ti" (Sf 3,14s). Como "Filha de Sião", a Virgem por conseguinte é o ponto de chegada do Antigo Testamento e primícias da Igreja.

28 Como entender a morte de Oza ao tocar a Arca?

O fato está narrado em 2Sm 6,3-10. No início do reinado de Davi, a Arca da Aliança é transportada para Jerusalém em um carro de boi com muito júbilo e festa. Até o rei dança de alegria. Dirigiam o traslado os irmãos Oza e Aio, filhos de Abinadab, encarregado de guardar a Arca em sua casa em Cariat-Iarim. "Ao chegarem à eira de Nacon, Oza estendeu a mão para a Arca de Deus e a segurou, porque os bois a faziam tombar. Então a ira do Senhor se acendeu contra Oza e ali mesmo Deus o feriu por essa falta, e ele morreu ali, ao lado da Arca de Deus".

O texto hebraico tem dois termos discutidos: a) o que aconteceu com os bois: escorregaram ou deixavam cair a Arca? b) o que traduzimos por "falta", o latim da Vulgata interpreta como "temeridade". Afinal, Oza também corria perigo ou somente a Arca? Os intérpretes não explicam do mesmo modo o que aconteceu com ele. Pode ser que o acidente lhe foi fatal e então os circunstantes o interpretaram como castigo divino, devido a uma profanação objetiva. Para outros, com a morte repentina de Oza Deus quis ensinar aos israelitas um respeito sempre mais atento aos objetos sagrados.

Nesse caso, no pensamento do narrador, o gesto espontâneo e impensado de Oza para proteger a Arca, na melhor das intenções, não deixava de ser a violação de um preceito que previa a pena de morte conforme Nm 4,15. Nem os levitas podiam tocar a Arca. O modo certo de transportar a Arca era levando-a aos ombros sustenta-

III. Símbolos e Significados

da por varais. Da mesma forma, a montanha do Sinai era intocável: "quem tocar a montanha será morto" (Êx 19,12). A história de Oza contém uma mensagem de grande respeito pelo sagrado e certamente não deve ser interpretada segundo as nossas noções de culpa e castigo.

29 *Elias foi arrebatado ao céu?*

O episódio final da vida do profeta Elias é contado no Segundo Livro dos Reis, capítulo 2,11s. Estava com ele seu discípulo Eliseu e "enquanto andavam e conversavam, eis que um carro de fogo e cavalos de fogo os separaram um do outro e Elias subiu ao céu no turbilhão. Eliseu olhava e gritava: 'Meu pai! Meu pai! Carro e cavalaria de Israel!'"
O que o autor sagrado quis descrever com essas palavras? A elevação de Elias ao céu em um carro de fogo ou simplesmente o seu desaparecimento em um turbilhão misterioso? A exclamação de Eliseu deve estar relacionada com aquilo que ele estava vendo naquela hora. O autor pretendeu contar uma verdadeira subida de Elias ainda vivo ou uma visão de Eliseu? Parece mais provável a segunda hipótese, ou seja, uma descrição do que Eliseu conseguiu ver. O fato de Eliseu rasgar suas vestes (v. 12) parece ser um gesto de luto e tristeza. Isto supõe a morte de Elias? É uma dedução possível. No fato semelhante da ascensão de Jesus ao céu, a reação dos discípulos foi de alegria (Lc 24,52). Nos v. 3 e 5 desse capítulo 2 encontramos duas vezes o verbo "levar", *laqah* em hebraico: "Sabes que hoje o Senhor vai levar teu mestre?" O uso desse verbo foi considerado como prova de que não se trata de morte e sim de um arrebatamento ao céu. Por sinal, o mesmo verbo aparece em Gn 5,24 para dizer que Deus "arrebatou" Henoc, caso análogo ao de Elias.

Mas esse argumento não é considerado válido, pois o mesmo verbo "levar" aparece na Bíblia para indicar a morte tanto do justo (Sl 49/48,16; Is 53,8) como do pecador (Ez 33,6). Portanto, é o contexto que deve mostrar em que sentido entender o verbo.

"O texto não diz que Elias não morreu, mas facilmente se pôde chegar a essa conclusão" – diz a Bíblia de Jerusalém. A descrição sugere uma morte diferente: a morte é como que superada pela arrebatadora intervenção de Deus que irrompe como fogo levando consigo seu profeta de fogo. Porque na visão do autor sagrado, um profeta tão poderoso e ardente no zelo pelo Senhor não podia ter uma morte ordinária, semelhante à de todo mortal. Sobretudo porque a concepção que se tinha então da morte era a da separação de Deus e descida ao xeol. De alguma forma o profeta devia estar com seu Deus, que possui poder até sobre o que fica além desta vida. Aos poucos vai se revelando a noção de que a verdadeira vida se encontra em Deus e nem a morte consegue interrompê-la.

Elias então desaparece no mistério, fazendo surgir sobre ele muitas crenças, sobretudo a de sua volta para preparar a vinda do Messias: "Eis que vos enviarei Elias, o profeta, antes que chegue o dia do Senhor grande e terrível" (Ml 3,23). Jesus dirá que seu Elias foi João Batista, Mt 17,10-13.

30 Qual foi a origem dos samaritanos?

Samaria é uma das três regiões da Palestina do Novo Testamento, e é limitada ao norte pela Galileia e ao sul pela Judeia. Quando morreu Salomão, seu filho Roboão não conseguiu manter a unidade do povo que Davi tinha formado, pois as dez tribos do Norte se revoltaram e constituíram um reino à parte. O chefe da revolta foi

Jeroboão, que fez de Siquém sua capital e também criou dois santuários, para que o povo não frequentasse mais o de Jerusalém. A partir do ano 880 a.c., quando o rei Amri construiu sua capital Samaria (1Rs 16,24), os cidadãos do reino do Norte passaram a ser chamados de samaritanos. Ora, Samaria foi conquistada pelos assírios no ano 721 a.c. e conforme a política desse povo, os vencidos foram deportados para outra região e no lugar deles foram mandados para o país gente de cinco nações do norte. A Bíblia conta essa história em 2Rs 17 e acrescenta que a nova população sofreu várias calamidades, interpretadas como castigo do deus da terra que eles não conheciam e não veneravam. Por isso o rei assírio ordenou: "Mandai para lá um dos sacerdotes que deportastes, que ele se estabeleça lá e lhes ensine o ritual do deus da terra" (v. 26). Os cinco maridos que teve a mulher samaritana que conversou com Jesus (Jo 4,18) representam os deuses trazidos de fora pelos povos instalados forçadamente na Samaria. A palavra "baal" era nome de deus e tinha também o sentido de senhor e marido.

Essa mistura de raças e religiões fez os samaritanos perderem a pureza da religião de Javé, mas apesar de tudo se conservaram monoteístas. Terminado o exílio de Babilônia, quando os judeus voltaram para sua terra, os samaritanos quiseram unir-se aos repatriados para ajudá-los na reconstrução do Templo, mas não foram aceitos (Esd 4,1-5). A partir de então, fizeram forte oposição à continuidade da obra de reconstrução do Templo e das muralhas da cidade (Esd 4,6-23).

Os samaritanos então viram-se obrigados a afirmar sua autonomia religiosa. Conforme o historiador Flávio Josefo, foi em 328 a.C. que os samaritanos construíram no monte Garizim, junto de Siquém, seu templo cismático, rival do de Jerusalém, chegando a uma ruptura total com os israelitas do Sul. Os conflitos entre eles continuaram e o

73

templo do Garizim foi destruído depois por João Hircano, no ano 128 a.c. Ainda hoje os samaritanos aceitam apenas os cinco livros do Pentateuco como livros inspirados.

No tempo de Jesus, os samaritanos hostilizavam os peregrinos que passavam por seu território em direção a Jerusalém (Lc 9,53). Judeus e samaritanos não conversavam entre si (Jo 4,9) e era uma ofensa grave para um judeu ser chamado de samaritano, como fizeram com Jesus (Jo 8,48). O preconceito aparece no livro do Eclesiástico, que chama os samaritanos de "povo estúpido que habita em Siquém" (50,26). Mas Jesus não seguia essas ideias; ao contrário, propôs como exemplo de amor universal um samaritano na famosa parábola de Lc 10.

31 Qual é o gênero literário do livro de Tobias?

Aí está um livro precioso que nós católicos nos orgulhamos de possuir em nossas Bíblias e foi excluído por outras igrejas. Ele conta a história de um piedoso israelita chamado Tobit, que vivia exilado em Nínive, com sua esposa Ana e seu filho Tobias. Era fiel observante da Lei, não deixando de fazer as romarias a Jerusalém levando os dízimos e as primícias, não comia alimentos proibidos, dava muitas esmolas, repartia seu pão com os famintos e suas roupas com os necessitados e, com o risco da própria vida, sepultava os mortos jogados para fora das muralhas.

Aconteceu que, em um dia de calor, deitou-se na varanda sem notar que no teto havia um ninho de passarinhos. Caiu-lhe excremento nos olhos e ele ficou cego. Em uma discussão, sua esposa lançou-lhe ao rosto que suas boas obras de nada adiantavam: "Onde estão tuas esmolas? Onde o bem que fizeste?"

Tobit conta que, com a alma amargurada pela dor, suspirou e chorou. Em um desabafo, pediu que Deus lhe tirasse a vida. Mas também rezou: "Vós sois justo, Senhor, e justas são vossas obras. Lembrai-vos de mim, não me castigueis por meus pecados, pois desobedecemos vossos mandamentos". O resto da história mostra que ele aceitou sua situação e, passado algum tempo, Deus o curou de sua cegueira através do anjo Rafael.

Quando se pergunta pelo gênero literário, o interesse é saber se o autor apresenta uma narrativa rigorosamente histórica ou escreve um romance familiar com fins didáticos. O autor deste livro tem uma rica mensagem a transmitir e achou melhor incorporá-la dentro de um conto edificante. Tobit é um israelita que serve a Deus de todo coração sem querer retribuição do Alto. Os valores que vive, ele transmite ao filho em uma série de conselhos, que são as pérolas preciosas do livro. Assim, lemos em 4,21: "Não te preocupes, filho, se ficamos pobres. Tens uma grande riqueza se temes a Deus, se evitas toda espécie de pecado e se fazes o que agrada ao Senhor teu Deus".

A família é o ambiente vital em que se transmite a herança espiritual da nação (1,8; 4,19; 14,3.8s). Daí a insistência em todas as virtudes que lhe podem favorecer a coesão, muito especialmente o respeito aos pais (1,8; 3,10.15; 4,3s; 6,15; 14,12s). O que toda família há de transmitir de uma geração à outra é a fidelidade a Deus e a seus mandamentos. A fidelidade a Deus é o principal (1,12; 2,2; 4,5; 14,8s), mas ela deve traduzir-se em fatos, em bons exemplos e testemunho. A esmola e a oração têm a primazia sobre todas as demais obrigações. O livro, de 14 capítulos, é recheado de orações, todas elas começando com "Bendito seja Deus!"

Em nossos dias, quando vemos as famílias passando por crises de toda espécie, o livro é um apelo para que elas enfrentem as contrariedades da vida sem perder a confiança em Deus e reflitam em sua vida diária a justiça, a misericórdia e a liberdade de Deus.

32. O que significou na história de Israel o Exílio de Babilônia?

Nabucodonosor e Ciro são dois personagens da história universal que marcaram o início e o fim desse período da história bíblica que vai de 586 a 538 a.C. O primeiro reinou em Babilônia de 605 a 562 a.C. e fez guerra contra o reino de Judá. Tomou e incendiou a capital Jerusalém, destruiu aquele belo templo edificado por Salomão e os hebreus, dizimados pela fome e pela guerra, tiveram de partir para o exílio, deixando para trás aquela tão sonhada "terra que mana leite e mel" (Êx 3,8). Não havia mais rei nem sacerdotes nem o culto a Javé. O salmo 137/136 assim descreve os exilados: "Na beira dos canais de Babilônia nós nos sentamos a chorar, com saudades de Sião" (v.1). Infelizmente, tiveram de ser cumpridas as ameaças dos profetas, que desde Moisés advertiam o povo, para que não fosse infiel e desobediente ao Senhor. Jeremias chegou a anunciar claramente: "Todo este país será uma ruína e uma desolação, e estas nações estarão sujeitas ao rei de Babilônia" (Jr 25,11).

De fato, os hebreus perderam a liberdade, agora são escravos em um país estrangeiro; parecia até que Deus os tinha abandonado. Os habitantes do país zombavam, perguntando: "Onde está o teu Deus?" (Sl 42/41,4). Em sua terrível crise de fé, os hebreus perguntavam: Será que nosso Deus só tem poder na terra de Israel? Será que foi derrotado pelo deus babilônico Marduc? Houve muitos exilados que sucumbiram à tentação e abandonaram o seu Deus.

Ainda bem que os babilônios não dispersaram os exilados, mas os assentaram em comunidades agrícolas. Isso favoreceu a conservação do patrimônio espiritual, religioso e cultural. Podiam falar a própria língua, observar seus costumes e suas práticas religiosas. Podiam livremente reunir-se, comprar terras, construir casas e comunicar-se com a pátria. Perdido o referencial do templo, as Escrituras sagradas passaram a ocupar o centro da comunidade. Vencendo toda revolta contra Deus, reconheceram sua culpa e por fim imploraram socorro. Foram retomando a confiança de que Deus haveria de devolver a terra a seu povo como a deu no passado (Ez 47,13). O que foi decisivo para manter a esperança do povo foi a presença entre eles de dois profetas, Ezequiel e o Segundo Isaías, que os consolavam e animavam.

É desse tempo a criação das sinagogas, palavra grega que significa "reunião". Aí rezavam, cantavam os Salmos e comentavam os Profetas. Os sacerdotes tinham aí o seu centro de interesse. Eles trabalhavam em silêncio reunindo as tradições e as antigas leis. Assim o povo aprendeu a valorizar a Palavra de Deus. O tempo do exílio viu também surgir novos escritos bíblicos, como as Lamentações e Salmos. Em contato com estrangeiros, o povo de Deus tomou consciência de sua identidade, de sua missão de ser luz para os povos (Is 49,6). O exílio só durou duas gerações, mas neste curto período operou-se uma mudança radical: o Judaísmo tornou-se uma *religião do Livro*.

Arrancado momentaneamente das suas seguranças habituais, o povo foi obrigado a refletir. O Exílio foi uma graça oferecida a Israel. Sabemos que não recusou esta graça. A provação foi boa, pois deu-lhe o sentido da sua vocação e da unidade da sua história. Aprendeu a conhecer melhor o seu Deus: o Deus que perdoa, o Deus da salvação e das vitórias. Aprendeu o que era a Aliança. Assumiu seu papel de povo missionário e testemunha.

O outro personagem marcante dessa história é Ciro (549-530 a.C.), que se tornou rei dos medos e dos persas, conquistou Babilônia e decretou a liberdade para todos os que estavam cativos naquele império. O decreto dele aparece duas vezes na Bíblia: 2Cr 36,23 e Esd 1,2ss. Em diversas caravanas, os hebreus iam organizando seu retorno à pátria. Os que retornaram constituíram o "resto de Israel" e voltaram animados a reconstruir a comunidade. Outros preferiram ficar em Babilônia, onde tinham conseguido uma boa posição.

33 Quem são os Macabeus de que a nossa Bíblia fala?

No século II a.C. a Palestina estava sob o domínio dos gregos, que lá entraram desde as conquistas de Alexandre Magno. O soberano da época, além de profanar o templo de Jerusalém, proibiu o culto judaico, a observância do sábado e saqueou toda Jerusalém de suas riquezas. Mandou queimar todos os livros das Sagradas Escrituras e não perdoava a um só daqueles em cujas casas os encontrava. Depois tentou introduzir a força os costumes gregos na Judeia. A maior parte do povo obedeceu-lhe, ou voluntariamente ou por medo; mas estas ameaças não puderam impedir aos que tinham virtude e generosidade de observar as leis dos pais. O cruel príncipe fazia estes morrer no meio de cruéis tormentos.

Aconteceu então uma revolta entre os fiéis do Judaísmo. Ela foi iniciada pelo sacerdote Matatias, que deixando Jerusalém veio para a cidade de Modin com seus cinco filhos: Judas, Jônatas, Simão, Eleazar e João. Com o brado "quem tem zelo pela Lei e quer defender a aliança, siga-me!" (1Mc 2,27) Matatias formou um exército. Essa revolta foi a primeira guerra religiosa e ideológica da história; nunca antes uma nação tinha ousado lutar e morrer por seu Deus. Os Macabeus são os admiráveis heróis que resistem, mártires que darão seu sangue por sua fé. O povo simples pratica humildes virtudes: dentre esses vão surgir os primeiros cristãos, mas a elite está decadente.

III. Símbolos e Significados

A bandeira da libertação passa primeiro a Judas, apelidado o "Macabeu", depois a seu irmão Jônatas e por fim ao outro irmão, Simão. Os três, cada qual a seu tempo, acumulariam as funções de chefes militares e de sumo-sacerdotes do templo de Jerusalém. Há duas explicações para o nome "macabeu". Uns dizem que significa "martelo", aquele que golpeia os inimigos; para outros, vem de *maqqabyahu* e quer dizer "designado por Deus". Judas Macabeu provou ser um general competente, havendo derrotado sucessivas vezes exércitos imensamente mais numerosos e mais preparados militarmente. Os cinco irmãos morreram de morte violenta: dois no campo de batalha: Eleazar e Judas; os outros três por traição: João, Jônatas e Simão. Mas graças a esses líderes, a liberdade religiosa é recuperada, o templo é restaurado e purificado, o país se torna independente e o povo volta a gozar de paz e tranquilidade.

Toda essa história está contada em dois livros da Bíblia, os livros dos Macabeus, que descrevem a luta de seus heróis como uma guerra santa. Interpretam as desgraças do povo como castigo por seus pecados, mas procuram levá-lo a confiar em Deus, pois Ele continua a amar, proteger e salvar seu povo eleito. Os combatentes invocam a Deus antes das batalhas, certos de que mais vale a ajuda do Céu do que a força dos exércitos. Esses livros são um convite para encarnar a fé em ação política e revolucionária. Mostram que um povo, por mais fraco que pareça, jamais deve se conformar diante da arrogância dos poderosos.

Uma bonita frase do livro nos mostra o espírito com que aqueles heróis enfrentaram as lutas do seu tempo, ancorados em uma firme confiança em Deus: "Recomendo àqueles que terão em mãos este livro, que não se deixem abater por causa dessas calamidades; pensem, antes, que esses castigos não sucederam para a ruína, mas para a correção de nossa gente. O Senhor nunca retira de nós sua misericórdia e, mesmo quando o corrige com a adversidade, jamais abandona seu povo" (2Mc 6,12.16).

O Papa Francisco disse que a política é uma sublime vocação, é uma das formas mais preciosas da caridade. Certamente, pois a verdadeira política é cuidar do bem comum, da felicidade de todos, é servir à comunidade. Não deve ser, como muita gente pensa, um meio de alcançar a riqueza, aproveitando-se de oportunidades para apropriar-se do que é de todos.

34 Quais são os livros sapienciais da Bíblia?

Encontramos no Antigo Testamento um conjunto de livros, colocados entre os históricos e os proféticos, que se chamam comumente "sapienciais" e também "poéticos". São sete ao todo: Jó, Salmos, Provérbios, Eclesiastes, Cântico dos Cânticos, Sabedoria e Eclesiástico. Essa literatura sapiencial não está ligada a acontecimentos da história, mas também constitui uma parte importante da revelação divina. É obra de homens tidos como sábios, os quais, junto com os sacerdotes e os profetas, formavam as três classes que se destacavam entre os hebreus.

Para eles o sábio por excelência foi Salomão, que, podendo pedir a Deus o que quisesse, pediu sabedoria, e Ele lhe concedeu um coração sábio e inteligente, como ninguém teve antes nem depois dele (1Rs 3,12). Ficou célebre a visita que fez a Salomão a rainha de Sabá, que veio de longe para ouvir sua sabedoria (1Rs 10,1-13 que Jesus comenta em Mt 12,42). Na Bíblia três livros foram atribuídos a este rei: o Cântico dos Cânticos, que seria obra da sua juventude; os Provérbios, obra da sua maturidade; e o Eclesiastes, obra de sua velhice. É mera atribuição, pois os autores não são conhecidos, exceto no caso de algumas coleções de Provérbios. Colocar um livro sob o nome de um grande personagem conferia--lhe valor aos olhos do público.

O sábio propõe em seu ensinamento uma filosofia de vida, um caminho para a felicidade, que supõe uma conduta honesta, livre de vícios. Entre os valores inculcados estão a humildade, a prudência, o respeito aos pais, a amizade, a hospitalidade. Por outro lado, os males mais censurados são a inveja, a avareza, a mentira, a preguiça, a impiedade. Mas a sabedoria ensinada pelos sábios nem sempre é aquela comum a todos os povos, que se expressa em provérbios e ditados populares nas diversas culturas. Por exemplo, afirmam muitas vezes que o início da sabedoria é o temor do Senhor (Pr 9,10), demonstrando sua fé na importância da prática religiosa para a realização humana. Acreditam que é Deus quem governa o mundo: "Nas mãos do Senhor está o governo do mundo; o Senhor derruba o trono dos poderosos e assenta os mansos em seus lugares" (Eclo 10,4.14). Os sábios criavam escolas onde se formava a juventude que ia assumir responsabilidade na sociedade.

A sabedoria de Israel não é teórica nem abstrata, mas moral e prática. Dom de Deus, concedido através da observação do mundo e das pessoas, ensina a viver conforme o projeto divino.

Um dos grandes enigmas que preocupavam os sábios era a retribuição, as consequências para os indivíduos dos seus atos bons e maus. A afirmação de que o justo devia ser sempre feliz e o ímpio sofrer punição nem sempre era confirmada pela experiência diária, que era justamente a fonte das observações dos sábios. O problema coloca-se de maneira extrema no livro de Jó, homem piedoso e justo, mas vitimado pela doença e pela perda dos filhos. E mesmo hoje, com tudo o que sabemos do valor redentor do sofrimento, ainda ficamos abalados ao visitar crianças em hospitais...

A sabedoria bíblica não é fruto de estudos nem se aprende nos livros. O importante é pedi-la, buscá-la, porque está ao alcance de todos. "A sabedoria é facilmente encontrada pelos que a buscam; quem por ela madruga não se cansa: pois a encontra sentada à sua porta" (Sb 6,12.14). Conforme nossa experiência de cada dia, existem muitas pessoas de condição humilde e no entanto, cheias de sabedoria. É como disse Jesus: "Eu vos bendigo, Pai, porque estas coisas que escondestes aos sábios e aos entendidos, vós as revelastes à gente simples" (Mt 11,25).

35 Quais as lições do livro de Jó para nós?

"Querido Papa Francisco" é o título de um livro que saiu recentemente, com respostas do Papa a dezenas de perguntas feitas a ele por crianças do mundo inteiro. Uma das perguntas é esta de William, menino norte-americano de sete anos, que perguntou ao papa qual seria o milagre que ele faria, se pudesse.

Resposta: "Querido William, eu curaria as crianças. Ainda não consegui entender por que é que as crianças sofrem. Para mim é um mistério. Não sei dar uma explicação. Interrogo-me sobre isso. Rezo sobre esta pergunta: por que é que as crianças sofrem? É o meu coração que põe a pergunta. Jesus chorou, e chorando compreendeu os nossos dramas. Eu procuro compreender. Se pudesse fazer um milagre, curaria todas as crianças. O teu desenho faz-me refletir: há uma grande cruz escura e por trás está o arco-íris e o sol que resplandece. Gostei. A minha resposta à dor das crianças é o silêncio ou uma palavra que nasce das minhas lágrimas. Não tenho medo de chorar. Também tu não deves ter medo."

O problema do mal no mundo, o sofrimento do inocente, é uma questão à qual em todos os tempos se procurou dar uma resposta. Um dos livros da Bíblia, o de Jó, trata explicitamente desse drama. Jó era um homem santo e íntegro, e por isso rico e feliz, como se achava normal para todo ser humano fiel a Deus. Mas é submetido a provações duríssimas. Em pouco tempo ele perdeu todos os seus animais, os servos e também os filhos, mortos em um acidente. Foi acometido de uma doença maligna que o reduziu a um estado lastimável. Sua esposa, revoltada, o questionou: "Continuas ainda firme em tua integridade? Amaldiçoa a Deus e morre!" Jó respondeu com suma sabedoria: "Falas como uma ignorante! Se de Deus aceitamos o bem, por que não deveríamos aceitar o mal?" (Jó 2,9s).

Seus três amigos vêm consolá-lo e nos diálogos com o infeliz só sabem repetir a teoria da retribuição nesta vida: todo mal é um castigo de Deus por pecados cometidos, portanto Jó é um pecador. Este protesta sua inocência e seus gritos de desabafo se alternam com expressões de confiança e de submissão a Deus. Intervém um novo personagem, que tenta mostrar que o mal não serve só para punir, mas também para corrigir e ensinar. Enfim, fala o próprio Deus nos capítulos 38 a 41, revelando a Jó sua onipotência e sua sabedoria na criação e no governo do mundo. Jó confessa sua própria ignorância e reconhece que falou como insensato.

O autor do livro quis colocar o angustiante problema do sofrimento do justo e procurou resolvê-lo fora da solução tradicional que os amigos de Jó expõem. Santo Tomás diz que o autor quis demonstrar que a Providência divina rege todos os acontecimentos humanos. Este é o sentido do grande discurso de Deus no final do livro. Mas a fala de Deus deixa intacto o mistério na sua profundeza. Jó se submete, mostra confiança. O objetivo do livro é ensinar que se alguém se achar em uma situação semelhante à de Jó, tenha a mesma disposição de ânimo dele. O livro não pretende decifrar para o justo o motivo por que ele padece, e sim indicar o modo como há de padecer.

Pouco a pouco a revelação bíblica irá se esclarecendo, até o dia em que o Filho de Deus projetará sobre esse mistério as luzes da Cruz. Ele veio sofrer conosco, para mostrar que "se sofremos com Ele, com Ele reinaremos" (2Tm 2,12).

Existe uma oração chamada Prece da Serenidade, muito sábia, atribuída ao teólogo Reinhold Niebuhr (1892-1971), que diz: "Senhor, concedei-nos a serenidade necessária para aceitar as coisas que não podemos modificar; a coragem para modificar aquelas que podemos; e a sabedoria para distinguir umas das outras."

A Prece da Serenidade nos convida à ação consciente e aceitação consciente, compreendendo que nos casos em não podemos mudar as circunstâncias da vida, ainda assim, podemos mudar nossa maneira de reagir a elas.

Diante do inevitável, não é justo atribuir a Deus a responsabilidade pelo ocorrido. A responsabilidade é sempre dos seres humanos, que também erram por irresponsabilidade e negligência.

Para elaborar as perdas, os psicólogos recomendam guardar como um tesouro algumas coisas que não se podem perder: as boas lembranças, a gratidão, o prazer de viver, a dignidade, a fé, a esperança. Aceitar que as perdas são inevitáveis na vida de cada um. É só não perder o que você tem de mais valioso!

36 *Por que as pessoas que vivem afastadas de Deus, às vezes vivem sem problemas graves, e as pessoas que caminham com Jesus sofrem tanto?*

Essas mesmas perguntas são exatamente o assunto do Salmo 73/72. Já o Eclesiastes constatava: "Já vi de tudo em minha vida de vaidade: o justo perecer na sua justiça e o ímpio sobreviver na sua impiedade" (7,16). E para os fiéis daquele tempo, quando não tinham a perspectiva da outra vida, e toda justiça devia ser feita nesta terra, o problema era muito maior. Os antigos não tinham a certeza da vida futura e achavam que cada um receberia já nesta vida aquilo que mereciam seus atos.

O sentimento comum dizia que o justo era recompensado com uma vida feliz e que os maus eram punidos com diversos tipos de castigos. Valia o ditado: "Aqui se faz, aqui se paga". Mas a experiência de muitas pessoas contrariava essas suposições. Daí a incompreensão e o escândalo ao constatar que muitas pessoas más viviam na maior felicidade. No livro de Jó temos o mesmo questionamento: "Por que vivem os ímpios? Por que chegam à velhice e aumentam seu poder?... Contudo, eles dizem a Deus: 'Deixa-nos! Não queremos conhecer os teus caminhos'" (Jó 21,7.14).

O salmista não entende como é que Deus, justo e onisciente, deixa os maus prosperarem (Sl 73/72,16). E confessa que sente "inveja dos soberbos quando vê a vida folgada deles. Para eles sofrimento não existe" (v. 3s). Chega a perguntar qual foi o fruto de seu bom comportamento: "Foi à toa que conservei puro meu coração porque sou molestado o dia todo" (v. 13s). A resposta que ele encontra é que a felicidade dos maus é passageira, eles cairão em ruína: "Os que se afastam de vós perecerão, aniquilais todos os que vos são infiéis" (v. 27). E que a verdadeira felicidade está em Deus, e o resto não importa (v. 23). Ele tem esperança de viver feliz com Deus para sempre: "e depois me acolhereis na glória" (v. 24).

A segunda pergunta – por que os bons também sofrem – é tão antiga quanto a humanidade. Ela me faz lembrar de um diálogo de santa Teresa de Ávila com Deus:

– Senhor, se estou cumprindo tuas ordens, por que tenho tantas dificuldades no caminho?

– Teresa, não sabes que é assim que trato meus amigos?

– Ah! Senhor, então é por isso que tens tão poucos! Sabemos que estamos em um mundo ferido pelo pecado. Deus não criou a guerra, a doença, a miséria. Ele criou o ser humano livre, dotado de inteligência e vontade, para cuidar da criação com responsabilidade. Muitos fatos sobre os quais perguntamos "por que Deus permite isto?" são na verdade provocados pela maldade humana que não sabe usar bem da sua liberdade.

Na Bíblia, o livro de Jó é todo ele uma tentativa de responder por que existe o mal no mundo; mas só à luz do Novo Testamento é que vemos uma saída. Jesus quando veio ao mundo, não veio para explicar o mal, mas quis sofrer também, assumiu nossas dores. E deu novo valor ao sofrimento porque fez dele o meio para salvar a humanidade. Assim quem sofre mantendo sua fé e sua confiança em Deus, que nos ama e não abandona ninguém, pode sentir-se acompanhado pelo Salvador e sua Mãe ao carregar sua cruz. Pode dizer com são Paulo: "Tudo posso naquele que me dá força" (Fl 4,13). Nós sabemos que Deus nos ama e que o Seu poder é maior do que todo o mal. Renovamos nossa confiança em Deus, pois Ele está conosco principalmente nos momentos difíceis. Nós cremos na vida eterna e nos consolamos com as palavras do mesmo Apóstolo: "Os sofrimentos do tempo presente não têm comparação com a glória que há de revelar-se em nós" (Rm 8,18).

IV

Curiosidades

37 O nome "lúcifer" tem mais de um sentido?

Lúcifer é uma palavra latina, que significa "portador de luz" e designa o planeta Vênus que aparece geralmente de manhã, pouco antes do nascer do sol. A Bíblia latina, a chamada Vulgata, traz cinco vezes esse termo e em nenhuma delas se refere ao demônio! Portanto, não existe na Bíblia a palavra "lúcifer" como referência ao inimigo de Deus. Ao contrário, é aplicado a Jesus por são Pedro. Vamos conferir:
1. Jó 11,17: *Cum te caligine tectum putaveris, orieris ut lucifer*: Quando pensares estar envolto em trevas, ressurgirás como a estrela da manhã" – diz a Jó um dos amigos dele.
2. Jó 38,32: *Numquid producis luciferum in tempore suo?*: Podes fazer nascer a seu tempo a estrela da manhã? – Deus pergunta a Jó.
3. Sl 110/109,3: *Êx utero ante luciferum genui te*: Desde o seio, antes da aurora eu te gerei – Diz Deus ao Messias.
4. Is 14,12: *Quomodo cecidisti de caelo, lucifer, fili aurorae? Deiectus es in terram, qui deiciebas gentes.* "Como caíste do céu, ó estrela d'alva, filho da aurora! Como foste atirado à terra, vencedor das nações!" – diz o profeta ao rei de Babilônia.

5. **2Pd 1,19:** *donec dies illucescat, et lucifer oriatur in cordibus vestris*: "até clarear o dia e levantar-se a estrela da manhã em vossos corações" – escreve Pedro aos cristãos.

O texto de Isaías acima citado foi aplicado pelos Santos Padres ao príncipe dos demônios, que junto com seus anjos foi criado bom em sua natureza, mas por seu pecado se tornou mau. Porém, a intenção original do profeta era fazer um discurso contra o rei de Babilônia, inimigo do povo de Deus.

Antes que o nome "Lúcifer" fosse reservado ao demônio, houve na Igreja do século IV um personagem com esse nome. Ele foi bispo de Cagliari, na ilha da Sardenha, e foi um grande defensor da fé, que muito sofreu por parte do imperador Constâncio, chegando a ser exilado. Ele morreu em 370 d.C. e é considerado santo, tendo sua festa em 20 de maio. Então, por incrível que pareça, existe um São Lúcifer!

Na liturgia católica, no momento mais solene do ano litúrgico, a saber, na Vigília Pascal do sábado santo, é cantado o famoso hino latino *Exsultet*, chamado Precônio Pascal, ou anúncio da Páscoa. Nesse hino aparece duas vezes a palavra "lúcifer". Isso foi comentado em um vídeo que circulou por aí, para "provar" (pasmem!) que existe culto satânico na Igreja e até no Vaticano. O vídeo apresentava o texto latino com uma tradução completamente distorcida. No comentário feito pela Equipe *Nihil Christo Praeponere*, lemos a seguinte resposta: "Que um grupo de protestantes desconheça o significado de algumas frases em latim, é bastante compreensível. Que retoquem o que leem ou escutam para difamar a Igreja, porém, é uma atitude de muita desonestidade intelectual."

Aqui está o texto do hino, com uma tradução exata:

Flammas eius lucifer matutinus inveniat / Ille, inquam, lucifer, qui nescit occasum / Christus Filius tuus, / qui, regressus ab inferis, / humano generi serenus illuxit, / et vivit et regnat in saecula saeculorum. / Amen.

Que ele (o círio pascal) brilhe ainda quando se levantar o astro da manhã, / aquele astro que não tem ocaso, / Jesus Cristo, vosso Filho, / que, ressuscitando dentre os mortos, / iluminou o gênero humano com a sua luz e a sua paz / e vive glorioso pelos séculos dos séculos. / Amém.

Como vimos acima, o termo "lúcifer" na Bíblia significa simplesmente "a estrela d'alva", o planeta Venus e jamais é aplicado ao demônio. O sentido etimológico (*luci-fer*) é "portador de luz". Então, nesse hino poético, o termo foi aplicado a Jesus, "o astro que não tem ocaso", que ressuscitado, vive para sempre. Isso combina com o que Ele próprio disse: "Eu sou a luz do mundo" (Jo 8,12). Podemos citar também o profeta Malaquias: "Para vós, os que temeis o meu nome, nascerá o sol da justiça" (4,2 ou 3,20). Essa profecia foi aplicada ao Salvador. Ora, se o Messias pôde ser chamado de luz e sol, por que não dar-lhe o título de estrela da manhã? Foi o que fez São Pedro em sua segunda carta: "Até clarear o dia e levantar-se a estrela da manhã em vossos corações" (1,19).

38 Por que os salmos têm na Bíblia dupla numeração?

Nos Salmos da Bíblia Deus inspirou aos escritores sagrados as palavras com as quais Ele quer ser louvado, as orações que deseja receber de nós. Por isso não existem orações mais sublimes, mais bonitas e completas do que estas. Jesus e Nossa Senhora rezaram e cantaram esses Salmos que nós temos. Santo Agostinho disse que Cristo foi o cantor dos Salmos por excelência; ele os rezou e os viveu. Oração de Cristo, os Salmos se tornaram depois oração dirigida a Cristo pelos seus seguidores. Eles são a espinha dorsal da Liturgia das Horas, a oração oficial da Igreja.

Nos Salmos o povo de Israel canta diante de Deus a sua história pessoal e comunitária, história feita de alegrias e tristezas, de esperanças e fracassos. Ao todo são cento e cinquenta cânticos, feitos para a liturgia do templo de Jerusalém. A vida do povo fiel é oferecida a Deus em forma de oração: agradecendo-lhe por suas bênçãos, louvando-o por sua grandeza, pedindo-lhe perdão pelos pecados, chorando diante dele as mágoas, externando confiança, pedindo socorro.

Mas como posso rezar hoje orações que têm mais de dois mil anos? É que os tempos mudam, mas a alma humana é sempre a mesma.

Por que citamos os Salmos com dois números? Porque têm dupla numeração, uma no hebraico original, outra nas traduções antigas e na liturgia, as quais separaram ou uniram alguns Salmos. Em geral, a hebraica está uma unidade na frente da outra.

Estamos citando os Salmos conforme as duas numerações; para fazer a equivalência com a outra numeração, temos a seguinte tabela:

Numeração usada na bíblia hebraica e nas traduções modernas	Numeração usada nas bíblias grega e latina, nas traduções antigas e na liturgia
1-8	1-8
9 e 10	9
11-113	10-112
114 e 115	113
116	114-115
117-146	116-145
147	146-147
148-150	148-150

IV. Curiosidades

39 Como rezar o Salmo 109/108 que pede o castigo dos inimigos?

Chama-se oração imprecatória a oração na qual o Salmista pede a Deus que castigue seus inimigos ou os inimigos do povo. Além do salmo citado, veja também: Sl 18/17,38ss; 25/24; 52/51; 59/58; 69/68,23-29; 137/136,7ss. Para não causar problema às pessoas mais sensíveis, esses versículos foram excluídos dos formulários das Missas e da Liturgia das Horas, que os clérigos rezam em nome da Igreja.

Para interpretar corretamente as fórmulas que revelam esses sentimentos negativos, de modo que não resultem exageradas ou mesmo cruéis, é preciso lembrar que pertencem ao estilo poético e profético, e usam a hipérbole para dar vivacidade e calor à expressão. De resto, os termos usados são tirados do vocabulário então corrente e também do terrível direito de guerra daquela época. Não se pode esquecer como os vencedores tratavam os vencidos nas guerras antigas, gloriando-se mesmo de sua crueldade.

Mas é possível entender como é que essas orações se encontram na Bíblia, recordando o seguinte:

Elas são do tempo em que vigorava a lei do "olho por olho, dente por dente" (Êx 21,24); ainda não era ensinado o dever de pagar o mal com o bem e de rezar pelos inimigos, leis exclusivamente cristãs. A revelação completa da lei do amor só veio com o Novo Testamento.

O povo de Israel tem certeza de que Deus triunfará de seus inimigos, que são também os inimigos do povo. Invocar a punição divina para os inimigos de Deus e de seu povo é orar de acordo com a vontade revelada de Deus. Não se trata de ódio pessoal, mas de zelo pela causa de Deus. O povo sabia muito bem que só a Deus pertence a vingança e a retribuição, como está em Dt 32,35.

No caso do indivíduo que fala contra seus inimigos, ele está convicto de que é atacado porque ele serve a Deus, então tem certeza de que Deus tomará sua defesa. E fará fracassar os planos dos inimigos para castigá-los. Orar contra os inimigos do salmista equivale a orar por ajuda para o povo de Deus.

Não é que está pedindo a ira de Deus, mas a está prevendo. Ainda não havia uma revelação clara do juízo final, no qual os maus serão castigados.

Orar as orações imprecatórias é como orar pela derrota de Satanás e de seus subordinados. Ao pedirmos que "venha a nós o vosso Reino", implicitamente pedimos que o reino do mal seja destruído. Mesmo hoje em dia, a maldade costuma nos deixar indignados e o senso de justiça faz as pessoas buscar a apuração dos crimes e a punição dos culpados dentro das leis.

40 Como entender Eclo 34,1-8 onde se lê: "Os sonhos dão asas aos estultos"?

Na antiguidade se dava grande importância aos sonhos como manifestação extraterrestre. Nos tempos modernos, já foram interpretados como meros símbolos ou premonições, mas agora são vistos como indicadores característicos do inconsciente humano, que podem revelar dados importantes sobre a pessoa. É, sobretudo, a psicanálise que estuda a mensagem dos sonhos, como reveladores da personalidade do indivíduo.

Na Bíblia, os sonhos aparecem em histórias do Antigo e do Novo Testamento como manifestações de Deus; mas o uso inadequado que deles fizeram os falsos profetas (Dt 13,2-6) lançou sobre eles uma certa desconfiança. Os falsos profetas se serviam da interpretação dos sonhos para enganar o povo e despertar nele falsas esperanças (Jr 23,25; Zc 10,2). O próprio texto do Eclesiástico citado na pergunta reconhece essa ambivalência, pois diz nos v.5-6: "Adivinhações, horóscopos e sonhos são coisas vãs, e fantasias da mente... a não ser que provenham de uma intervenção do Altíssimo". Existem sonhos, entre outros, na história de Jacó (Gn 28), na vida de José do Egito (Gn 37; 40; 41), Gedeão (Jz 6), Samuel (1Sm 3), Natã (2Sm 7), Salomão (1Rs 3) e de Daniel (Dn 2; 4), na infância de Jesus (Mt 2,12.13.19.22) e no ministério de Paulo (At 16; 18; 23). Nas cortes de povos vizinhos de Israel, havia intérpretes profissionais para interpretar sonhos. Mas conforme a Bíblia, em várias situações quem conseguiu dar a interpretação justa foi um membro do povo eleito (José do Egito e Daniel). Joel prometeu sonhos para os tempos da efusão do Espírito (Jl 3,1).

E hoje? Será que Deus continua a nos falar através de sonhos? O biblista Augustin George tem uma observação interessante. Ele constata que "a Bíblia não menciona sonhos durante os séculos que medeiam entre Salomão e Zacarias, ou seja, durante toda a época do profetismo", para ele "isto sugere que nesse tempo o sonho é considerado como uma forma secundária da revelação; a palavra profética, ao contrário, é a forma por excelência da revelação dirigida ao povo". Deus pode nos falar de muitos modos, mas o modo privilegiado de revelação divina é sua palavra escrita conforme anunciada pela Igreja. Na história bíblica, sempre que alguém teve um sonho mandado por Deus, o significado do sonho foi entendido perfeitamente pela pessoa.

41 Qual Isaías anunciou o nascimento de Cristo?

A pergunta supõe que houve várias pessoas com o nome de Isaías, mas não é bem assim. O Isaías histórico é um gênio da literatura mundial, um israelita de família nobre, nascido provavelmente em Jerusalém pelo ano

770 a.C. É contemporâneo dos reis Ozias, Joatão, Acaz e Ezequias que reinaram em Judá. De seu casamento nasceram dois filhos aos quais deu nomes simbólicos (Is 7,3; 8,3). Durante seu longo ministério, assiste à crescente ameaça assíria, à queda de Samaria e do reino do Norte em 721 a.c. e tem uma atuação decisiva no episódio do cerco de Jerusalém por Senaquerib em 701 a.c. É considerado como um dos quatro grandes profetas escritores, ao lado de Jeremias, Ezequiel e Daniel. Seu livro é o maior de todos, tem 66 capítulos, mas não são todos escritos por ele próprio. É que Isaías fez escola e a obra de seus discípulos foi anexada à sua. Os capítulos 1 a 39 são dele mesmo. E é nessa primeira parte que se encontram os oráculos sobre a virgem mãe do Emanuel (cap. 7), o Menino que nasce como Príncipe da Paz (cap. 9) e os dons do Espírito que repousarão sobre o "Rebento" da raiz de Jessé (cap. 11).

Os capítulos 40 a 55 formam o "Livro da Consolação" e são claramente de outra época, a saber, do tempo do cativeiro de Babilônia, com que foram punidos os pecados do Israel infiel a Deus. Nessa segunda parte, chamada de Segundo Isaías ou Dêutero-Isaías, encontramos os 4 Cânticos do Servo de Javé, que são profecias que a Igreja aplica ao Cristo salvador do mundo pela sua paixão e morte. Veja-se especialmente Is 52,13—53,12 que é o 4º Cântico, lido na liturgia de Sexta-Feira Santa. O autor desses capítulos é desconhecido, mas certamente é um profeta que viveu no meio dos exilados em Babilônia no século VI a.c., reanimando as esperanças do povo.

A última parte do livro (cc. 56—66), chamada Terceiro Isaías ou Trito-Isaías, não pode ser de um só autor, mas é uma coleção de oráculos, salmos e profecias de épocas diferentes, sobretudo do tempo posterior ao exílio, quando o resto de Israel retornou à Terra Santa.

42 O que é "oráculo do Senhor"?

A palavra "oráculo" pode significar profecia, previsão, prognóstico, adivinhação, presságio. Encontra-se muitas vezes na Bíblia, mas não é exclusiva dela. Era usada também em outras religiões antigas e até no paganismo, sendo famoso o oráculo de Delfos, na Grécia, onde era cultuado o deus Apolo e seus porta-vozes eram consultados para anunciar o futuro, por exemplo, antes de uma guerra. Os povos vizinhos de Israel invocavam cada qual seus deuses para obter deles uma resposta, que orientasse suas escolhas. Na Bíblia, oráculo é uma mensagem pronunciada por um sacerdote, vidente ou profeta, como vinda de Deus. Em Israel havia o costume de consultar Javé, evitando assim cair no pecado de procurar adivinhos, magos e feiticeiros (Dt 18,10s). A consulta era feita por meio de representantes qualificados: a princípio Moisés, depois os sacerdotes e por fim os profetas ou videntes (1Sm 9,9). Isso era muito comum antes de uma batalha. Por exemplo, "o rei Saul perguntou a Deus: 'Devo perseguir os filisteus? Vós os entregareis nas mãos de Israel?'" (1Sm 14,37). O oráculo era a resposta que Deus dava a seu povo em relação ao êxito de um empreendimento.

Mas havia também falsos profetas, que falavam em seu próprio nome e não em nome de Javé e faziam falsas predições, como vemos na história dos reis Acab e Josafá (1Rs 22). Os quatrocentos profetas consultados responderam a Acab que ele devia atacar os inimigos, pois Deus os entregaria nas mãos dele. Chamaram também o profeta Miqueias, e lhe avisaram: "Os profetas são unânimes em predizer coisas boas para o rei. Procura falar como eles e predizer o sucesso". A resposta de Miqueias foi: "Pela vida de Javé! O que Ele me disser, é isso que anunciarei!" (v.14). E desmentiu a previsão dos profetas, mas não foi ouvido, chegou até a sofrer agressão física, e Israel perdeu a batalha. O verdadeiro profeta tem certeza de falar em nome de Javé, por isso acrescenta no final de suas palavras: "oráculo de Javé" (Is 41,14). Ou diz o mesmo com palavras semelhantes: "Assim diz o Senhor..." "Eis o que diz o Senhor Deus..." "Assim fala Javé".

43 O livro de Jonas é um relato histórico?

Entre os profetas "escritores" existem doze, chamados "menores", porque seus livros não têm a extensão dos livros dos "maiores", que são Isaías, Jeremias, Ezequiel e Daniel. Desses doze, o mais conhecido e mais popular é sem dúvida Jonas.

Ele foi mandado por Deus para pregar em Nínive, capital dos assírios, povo cruel e inimigo dos judeus. Jonas não obedece e embarca em um navio que vai na direção contrária. No meio da viagem há uma grande tempestade e todos rezam a seus deuses, menos Jonas. Tiram a sorte para saber quem é o culpado por aquele perigo e a sorte cai no profeta. Ele aceita ser lançado ao mar para que cesse a tempestade. E foi o que aconteceu. Um grande peixe engoliu Jonas (Jn 2,1) e no ventre do peixe ele passou três dias até ser lançado na praia. De novo, vem a ordem de Deus para ele pregar em Nínive e desta vez ele obedece. Anunciou a destruição da cidade daí a 40 dias. O povo todo se converteu, jejuou e fez penitência, sendo então perdoado por Deus. Jonas ficou irritado porque Deus usou de misericórdia com aquele povo e porque sua predição não se cumpriu. Para dar-lhe sombra, Deus fez crescer uma mamoneira; mas ela secou no dia seguinte e Jonas reclamou do intenso calor, chegando a pedir a morte (Jn 4,8). A última palavra é Deus quem fala, repreendendo Jonas por ter pena de uma árvore que secou, mas é insensível diante da possível morte de milhares de pessoas...

IV. Curiosidades

Se a pergunta é "essa história aconteceu?" devemos dizer que não, diante de tantos detalhes improváveis. Mas se a pergunta é "essa história acontece?" a resposta é "sim". O livro deve ser lido como uma sátira, que denuncia os vícios do judaísmo, incapaz de abrir-se ao universalismo, e como uma parábola, para ensinar que a misericórdia de Deus é livre e imerecida. O autor queria mostrar que Deus é Deus também dos gentios e se interessa tanto pela salvação deles que lhes manda um profeta para convertê-los. São Paulo faz esta pergunta: "Acaso Ele é Deus só dos judeus? Não é também das nações?" (Rm 3,29). Israel não deveria considerar-se detentor exclusivo da salvação. Se ele foi o povo predileto de Deus, era para ser o portador das bênçãos divinas ao resto da humanidade, povo missionário, portanto. Devia escutar e entender o que disse Isaías: "Faço de ti a luz das nações, para que minha salvação chegue até os confins da terra" (49,6).

O exemplo dos habitantes de Nínive, que creram em Deus, se converteram e foram perdoados, é um daqueles que com maior evidência manifestam a bondade e a misericórdia de Deus, que não recusa ninguém, mas acolhe com amor infinito todo aquele que se dirige a ele: "Tu és um Deus clemente e compassivo" (Jn 4,2).

O povo judeu, fechado no seu particularismo, não gosta que os benefícios de Deus se estendam aos pagãos, com medo de perder seus privilégios.

O fato de Jesus usar a narrativa de Jonas para anunciar sua ressurreição não significa que se trata de um fato acontecido; Jesus utiliza esse apólogo do Antigo Testamento como nós usamos as parábolas do bom samaritano ou do filho pródigo: elas são fatos históricos? Parece que não, mas quantas vezes estão acontecendo entre nós!

44. Quais profetas o Aleijadinho imortalizou com suas esculturas em Congonhas-MG?

A Bíblia nos dá a conhecer uma série de profetas, tanto do Antigo como do Novo Testamento. Nela se encontram escritos de 17 profetas, colocados após os livros sapienciais, no final do Antigo Testamento. A esses damos o nome de Profetas Escritores, para distinguir dos outros personagens que também foram profetas, mas não nos deixaram escritos, por exemplo, Elias e Eliseu.

Entre os escritores enumeram-se Isaías, Jeremias, Ezequiel e Daniel – considerados os 4 grandes ou maiores – e outros 12 chamados de menores: Oseias, Joel, Amós, Abdias, Jonas, Miqueias, Naum, Habacuc, Sofonias, Ageu, Zacarias, Malaquias. A Jeremias está associado Baruc, que foi seu secretário.

Para compor o adro do Santuário do Bom Jesus de Matosinhos em Congonhas, o escultor, entalhador e arquiteto Antônio Francisco Lisboa (1738-1814), mais conhecido como o Aleijadinho, foi contratado para esculpir em pedra sabão doze estátuas de profetas "escritores" do Antigo Testamento. A obra foi feita entre os anos 1800 e 1805 e os recibos assinados pelo artista atestando o pagamento feito são conservados no arquivo do Santuário.

Dentre os 17 profetas acima mencionados, a assessoria do Aleijadinho escolheu 12 e optou por colocar os quatro "maiores" sempre em posição de destaque, a saber, no centro da escadaria que leva ao Santuário. Dentre os outros profetas, era forçoso selecionar, pois sobravam oito vagas para os doze "menores" e Baruc. A solução encontrada foi descartar os quatro que na Bíblia vêm em último lugar: Sofonias, Ageu, Zacarias e Malaquias. Em Congonhas faltam esses quatro e também Miqueias. Mas com este último, a meu ver, aconteceu uma falha da assessoria: ele deveria estar no lugar de Baruc.

IV. Curiosidades

Meu raciocínio parte da análise das cartelas que cada profeta tem na mão. São versos latinos, um hexâmetro e um pentâmetro, como na elegia clássica, contendo uma alusão à vida ou às palavras do profeta. Não são frases tiradas literalmente da Bíblia, mas são obra de pessoas de exímia cultura, que na época se encontrariam somente entre os membros do clero; por isso, pensa-se que foi um professor do seminário de Mariana que assessorou o Aleijadinho. Assim, os versos de Isaías descrevem a visão dos serafins; os de Jeremias anunciam a destruição de Jerusalém; os de Ezequiel lembram o carro de fogo; os de Daniel comentam que ele foi lançado na cova dos leões. Os versos de Jonas falam da baleia, os de Joel mencionam a praga dos gafanhotos, os de Oseias aludem a seu matrimônio com a adúltera. Veja aqui, uma por uma as frases, em tradução do original latino:

Isaías: Quando os serafins celebravam o Senhor, um deles trouxe a meus lábios uma brasa com uma tenaz.

Jeremias: Eu choro o desastre da Judeia e a ruína de Jerusalém; e rogo ao meu povo que volte para o Senhor.

Baruc: Eu anuncio a vinda de Cristo na carne e os últimos tempos do mundo, e admoesto os piedosos.

Ezequiel: Eu descrevo os quatro animais no meio das chamas e as rodas horríveis e o trono etéreo.

Daniel: Encerrado na cova dos leões por ordem do rei, sou libertado, incólume, com o auxílio de Deus.

Amós: Primeiramente pastor, tornando-me depois profeta, anuncio os juízos de Deus contra as vacas gordas e os chefes.

Abdias: Eu vos arguo, ó idumeus e gentios! anuncio--vos e vos prevejo pranto e destruição.

Jonas: Engolido por uma baleia, permaneço três dias e três noites no seu ventre. Depois venho a Nínive.

Oseias: Recebe a adúltera – diz-me o Senhor. Obedeço e ela, tornada esposa, concebe a prole e dá à luz.

Joel: Exponho à Judeia o mal que trarão à terra a lagarta, o gafanhoto, o brugo e a ferrugem.

Naum: Exponho que castigo espera Nínive pecadora; declaro que a Assíria será completamente subvertida.

Habacuc: Ó Babilônia, Babilônia, eu te arguo, ó tirano da Caldeia; mas a ti, ó Deus benigno, eu salmodiarei.

Constatei que a frase que está com Baruc não é tirada dos 6 capítulos do seu livro. Ela diz: "Eu anuncio a vinda de Cristo na carne e os últimos tempos do mundo, e admoesto os piedosos". Ora, sobre os últimos tempos Baruc não diz nada e sobre o Salvador prometido ele se cala totalmente. Mas a frase dele consta claramente na profecia de Miqueias.

Tenho plena certeza que é ele que deveria estar no lugar de Baruc, pois foi Miqueias quem anunciou "a vinda de Cristo na carne", com as palavras: "De ti, Belém, sairá um chefe que apascentará meu povo Israel" (5,1). E sobre o fim do mundo, ele disse em 4,1: "E acontecerá, no fim dos dias, que a montanha da casa do Senhor se elevará acima das colinas". E onde ele "admoesta os piedosos"? Logo em seguida, em 4,2: "Vinde, subamos a montanha do Senhor e caminharemos pelas suas vias". Esses textos de Miqueias são famosos por dois motivos. Um foi citado pelos escribas de Herodes para responder aos Magos onde havia nascido o rei dos judeus (Mt 2,6). Os outros são usados na Liturgia das Horas, a oração oficial da Igreja.

O curioso é que nesses 200 anos de existência das estátuas, não se tem notícia de que alguém tenha levantado a hipótese dessa troca de nomes de profetas...

Esse belíssimo conjunto do Santuário de Congonhas, declarado pela UNESCO em 1985 Patrimônio Histórico e Cultural da Humanidade, tem encantado multidões de turistas e admiradores que visitam a cidade. É do poeta Oswald de Andrade (1890-1954) esta linda descrição:

OCASO
No anfiteatro de montanhas
os profetas do Aleijadinho
monumentalizam a paisagem.
As cúpulas brancas dos Passos
e os cocares revirados das palmeiras
são degraus da arte de meu país
onde ninguém mais subiu.

Bíblia de pedra-sabão
banhada no ouro das minas.

45 Quando o cânon do Novo Testamento foi definido?

Foi somente no final do século VI que nas igrejas latinas ficaram resolvidas todas as dúvidas entre os teólogos e escritores a respeito dos livros que compõem a Bíblia. Mas já em meados do século III, o teólogo Orígenes de Alexandria, grande conhecedor das ciências bíblicas, mostra que reconhece como inspiradas todas as epístolas católicas, além dos demais livros que aceitamos como canônicos. Por volta do ano 400, Santo Agostinho participou de três Concílios provinciais, de Hipona e de Cartago, nos quais foi proclamado o cânon completo do Novo Testamento, tal como o temos hoje.

O primeiro e mais antigo catálogo oficial para toda a Igreja católica é o do Concílio Ecumênico de Florença (ano 1441) no tempo do Papa Eugênio IV. A mesma lista de livros reconhecidos pela Igreja como inspirados foi reafirmada pelo Concílio de Trento em 1546 e pelo I Concílio do Vaticano em 1870.

Os autores da época estabeleceram a distinção entre canonicidade e autenticidade. Canonicidade é o fato de pertencer ao cânon dos livros inspirados; só os livros inspirados são canônicos. Autenticidade significa que o livro tem realmente como autor aquele ao qual é atribuído. É uma questão secundária, não impedindo que a obra seja reconhecida como inspirada. Por exemplo, se eu afirmo que a Carta aos Hebreus, atribuída a Paulo, não foi escrita por ele, estou dizendo que ela não tem autenticidade paulina, mas não a estou excluindo do cânon bíblico.

No ano 1740 foi descoberto em Milão, na Itália, um extraordinário documento antigo denominado Cânon de Muratori, devido ao nome do seu descobridor Luís Antônio Muratori. Este documento, originado provavelmente em Roma, é a mais antiga lista dos livros bíblicos do Novo Testamento até hoje conhecida, pois é anterior ao ano 180. Enumera os "livros que são considerados sagrados e devem ser lidos publicamente na Igreja", a saber: os quatro Evangelhos, os Atos dos Apóstolos, 13 cartas de Paulo, a carta de Judas, duas cartas de João, o Apocalipse e muito provavelmente as duas cartas de Pedro. Omite a Carta aos Hebreus e a de Tiago. Assim, bem cedo a Igreja chegava a um consenso quanto aos livros inspirados, mostrando-se ao mesmo tempo rigorosa no exame das muitas obras piedosas surgidas nos primeiros séculos.

46 Como o Novo Testamento foi composto?

São Lucas começa seu evangelho informando que "muitos", ou melhor, vários, já tinham tentado compor uma narração dos fatos da vida de Jesus. Alguns desses escritos chegaram até nós, pelo menos em fragmentos. São os evangelhos chamados "apócrifos", não aceitos pela Igreja primitiva, por alguma razão histórica ou doutrinária. Restaram os quatro evangelhos denominados *canônicos*, porque foram incluídos no "cânon", a lista de livros inspirados. Isto não aconteceu sem uma especial

IV. Curiosidades

inspiração do Espírito Santo que orientou as autoridades, os líderes, os Padres apostólicos.

Os primeiros cristãos se mostraram muito cuidadosos em recolher e copiar todos os escritos que consideravam sagrados e/ou importantes para as igrejas. Isso aconteceu com as cartas de Clemente Romano e de Inácio de Antioquia e sobretudo com as de Paulo. As cartas que Paulo escreveu destinavam-se a igrejas particulares, com soluções para problemas locais, mas continham também ensinamentos gerais que interessavam a todos. Por isso, Paulo recomenda aos Colossenses que leiam a carta enviada por ele aos Laodicenses e manda a estes que leiam a dos Colossenses (Cl 4,16). Havia também epístolas circulares, destinadas a todo um grupo de igrejas. A segunda carta de Pedro refere-se às cartas de Paulo como se já estivessem reunidas em uma coletânea (2Pd 3,15).

Ficou estabelecida na Igreja a norma de considerar inspirado apenas o que remontava aos apóstolos ou tivesse sido por eles aprovado. O problema era que muitos textos eram colocados sob o nome de algum personagem antigo sem ter sido realmente escrito por ele. É o fenômeno chamado "pseudoepigrafia", muito comum na antiguidade. Outra questão também delicada era examinar os escritos para verificar se continham possíveis desvios de doutrina, pois já começavam a aparecer ideias peregrinas entre os cristãos. E esses tais que propunham ideias diferentes se apoiavam em certos livros como o Apocalipse e a Carta aos Hebreus. Daí uma certa desconfiança com que eram vistos alguns livros.

Muito importante foi a posição de Tertuliano, o qual, em torno do ano 200 d.C. afirmou que os Testamentos são dois, e que o Novo Testamento se compõe de duas partes, a saber, o Evangelho e o "Apóstolo". A primeira parte – dizia ele – são os 4 evangelhos canônicos; a segunda são as 13 cartas de Paulo, a carta aos Hebreus, a primeira carta de João e os Atos dos Apóstolos. Nessa lista faltam evidentemente alguns livros, que um pouco mais tarde haveriam de ser reconhecidos como inspirados; isto é, quando foram eliminadas as dúvidas e os Santos Padres chegaram a um acordo. Essa segunda leva de escritos é a que chamamos de *deuterocanônicos*, porque entraram para o cânon em um segundo momento. Para o Novo Testamento, são estes: a carta de Tiago, a de Judas, a carta aos Hebreus, a segunda de Pedro, a segunda e a terceira cartas de João e o Apocalipse.

47 Quem são os autores dos evangelhos?

A palavra "evangelho" significa "boa nova" e a grande boa nova é a vinda de Deus ao mundo para viver entre nós. Cumprindo sua promessa de mandar um Salvador para a humanidade, na plenitude dos tempos, Deus enviou seu Filho, que anunciou o Reino de Deus em palavras e em obras, e, "morrendo, destruiu a morte e, ressurgindo, deu-nos a vida".

A seus Apóstolos, Jesus não mandou escrever, mas pregar (Mc 16,15). "Depois da ascensão do Senhor, os Apóstolos transmitiram aos ouvintes aquilo que Ele dissera e fizera, com aquela mais plena compreensão de que gozavam, instruídos que foram pelos gloriosos acontecimentos concernentes a Cristo e esclarecidos pela luz do Espírito da verdade. Os autores sagrados escreveram os quatro Evangelhos, escolhendo certas coisas das muitas transmitidas ou oralmente ou já por escrito, fazendo síntese de outras ou explanando-as com vistas à situação das igrejas, conservando enfim a forma de proclamação, sempre de maneira a transmitir-nos verdades autênticas a respeito de Jesus. Pois foi esta a intenção com que escreveram, seja com fundamento na própria memória e recordações, seja baseados no testemunho daqueles que desde o começo foram testemunhas oculares e ministros da palavra" (DV 19).

Santo Irineu dizia que existe um só Evangelho, quadriforme, em quatro modalidades. São os quatro livros, substancialmente idênticos, que referem palavras e ações da vida de Jesus, contados por Mateus, Marcos, Lucas e João. Mais que uma simples biografia, os evangelhos são testemunho da Igreja primitiva a respeito do Cristo Ressuscitado: retratam o modo como foi proclamado ao mundo aquele que disse: "Eu sou o caminho, a verdade e a vida" (Jo 14,6). Apresentam uma visão do que Jesus foi e é para a Igreja. O ponto de partida é a fé pascal. Em Jesus e por meio de Jesus, Deus diz a palavra definitiva sobre si e sobre o destino do ser humano e do mundo.

Mateus, também chamado Levi (Mc 2,14; Lc 5,27) era um dos doze Apóstolos e tinha sido cobrador de impostos em Cafarnaum. Escreveu por volta do ano 70 d.C. um evangelho endereçado a uma comunidade cristã procedente do judaísmo e procurou mostrar-lhes que Jesus é aquele que os profetas anunciaram. Apresenta Jesus como um novo Moisés, que veio ensinar aos mestres da época e ao povo em geral como cumprir a vontade de Deus, interpretando e aperfeiçoando a legislação em vigor.

Marcos, também chamado João Marcos, escreveu o segundo evangelho. Era um cristão de Jerusalém que acompanhou Paulo em sua primeira viagem missionária e depois, com seu primo Barnabé (At 13,5; Cl 4,10) evangelizou a ilha de Chipre (At 15,39). Aparece novamente ao lado de Paulo quando este se achava preso em Roma (Cl 4,10). Mas foi sobretudo a São Pedro que Marcos acompanhou de perto na ação apostólica, prestando-lhe grande ajuda na pregação como intérprete. Por volta do ano 64 d.C., Marcos resumiu a pregação de Pedro, elaborando assim o evangelho que possuímos, cujo objetivo é apresentar Jesus como Filho de Deus.

Lucas era natural de Antioquia e possuidor de boa cultura, sendo chamado de "médico amado" em Cl 4,14. Não pertenceu ao grupo dos doze Apóstolos, mas conviveu por muitos anos com São Paulo, a quem acompanhou desde a segunda viagem missionária até a morte (2Tm 4,11). Escreveu seu evangelho no ano 70 d.C. mais ou menos, como primeira parte de uma obra em dois volumes que conta as origens do cristianismo. O segundo volume é o livro dos Atos dos Apóstolos. Sua obra destina-se aos gentios convertidos, daí seu caráter universalista e a maneira simpática de se referir aos não judeus.

Pelos evangelhos, conhecemos bem a pessoa de João, ao qual é atribuído o quarto evangelho. Pescador como seu pai Zebedeu, é irmão de Tiago maior. O quarto evangelho, publicado nos últimos anos do século I d.C., foi composto durante várias décadas nos ambientes evangelizados por João e conserva certamente a sua pregação, mas não deve ter sido ele o último redator. No capítulo final, é claramente um grupo de discípulos que fala (Jo 21,24). João escreveu para alimentar nos fiéis a fé que conduz à vida eterna (Jo 20,31) e para isso elaborou um evangelho "espiritual", que não só relata os fatos, mas procura extrair de cada um deles a mensagem, o significado que se percebe por detrás dos símbolos ou gestos.

48 Por que ficaram famosas as descobertas de Qumran?

Se você for à Terra Santa, certamente terá em seu roteiro uma visita a Qumran, sítio arqueológico perto de Jericó e bem ao lado do Mar Morto, a 420 m abaixo do nível do mar, o lugar mais baixo da Terra. O guia vai fazer você percorrer as ruínas de um antigo convento, com salas, escritório, cozinha, oficinas de cerâmica, piscinas, cisterna, estábulo, torre e cemitério. O local foi habitado sobretudo entre os anos 186 a.C e 68 d.C. por uns 200 membros de uma seita judaica, que se intitulava filhos da luz ou da justiça, os pobres, o resto de Israel, ou nova aliança. Não usavam o nome pelo qual ficaram conhecidos – essênios – nome que significa "piedosos" e encontra-se em autores antigos como Flávio Josefo e Plínio o Antigo, que forneceram descrições sumárias da comunidade.

Os Essênios constituíam uma espécie de grupo místico e messiânico que vivia em comunidade monástica de tipo franciscano no que toca à vida comum e à vivência da pobreza. "São judeus de nascimento, e ligam-se por uma afeição mútua, maior que a de quaisquer outros. Estes homens rejeitam os prazeres como um pecado e põem a virtude na disciplina rigorosa e na resistência às paixões. Se, por um lado desdenham do casamento, por outro adotam crianças de outrem em tenra idade, sobretudo quando são aptas para os estudos; têm-nas como se fossem sua própria família e formam-nas segundo os seus costumes." (Flávio Josefo).

No tempo em que eles viveram, os romanos dominavam a Palestina. O clima de revolta entre os judeus foi aumentando lá pelo ano 60 d.c. e o perigo de uma guerra ameaçava a região toda. Por isso, os essênios tiveram o cuidado de salvar a preciosa riqueza que tinham em termos de manuscritos, encerrando-os em jarras de cerâmica e escondendo-os em grutas próximas.

Esse tesouro permaneceu oculto e completamente ignorado por dois mil anos, até que em 1947, uma circunstância fortuita levou à sua descoberta. Um beduíno que procurava uma cabra perdida jogou uma pedra e escutou o barulho que ela fez: parecia ter quebrado um vaso de barro. Aí, na gruta que ganhou o número 1, encontrou diversos pergaminhos dentro de jarras. Este grande acaso foi o início de persistentes explorações de toda a zona, resultando no achado de outras dez grutas, todas contendo manuscritos antigos escritos em hebraico em sua maioria, mas também em aramaico e grego. As pessoas cultas às quais foram vendidas essas antiguidades perceberam que se tratava de alguma coisa muito especial.

Foram encontrados até hoje em torno de 930 documentos, em couro ou em papiros, que correspondem a 350 obras distintas em suas múltiplas cópias. Quando os documentos foram achados, alguns estavam quase intactos graças ao ambiente seco do deserto da Judeia e ao fato de terem passado os últimos 2.000 anos no escuro, dentro de vasos de argila escondidos em cavernas. Mas outros tinham sido reduzidos a pedaços mínimos quase ininteligíveis. Os especialistas que os estudaram concluíram que se tratava de escritos de 3 tipos: a) 40% dos textos encontrados eram textos bíblicos do Antigo Testamento. Todos os livros do AT estão representados, ao menos por fragmentos, exceto Neemias e Ester. Logo na Gruta 1 foi achado um exemplar de Isaías, um rolo com 7,35m de comprimento e com todos os 66 capítulos do profeta. Essa preciosidade se conserva no Museu do Livro em Jerusalém. b) 30% das obras achadas são obras apócrifas, isto é, não incluídas na Bíblia, mas tidas em grande veneração, como o Livro dos Jubileus e o Livro de Henoc. c) Outros 30% são textos próprios da Comunidade, como seus estatutos e normas: Regra da Comunidade, Rolo do Templo.

Qual o valor dessas descobertas?

A descoberta de Qumran foi considerada o mais notável achado arqueológico do século XX. Mais ainda: Os manuscritos do deserto de Judá foram, sem dúvida, a maior descoberta do milênio passado para a crítica literária e para o estudo da Bíblia, pois voltamos a ter acesso a cópias de textos bíblicos da época de Cristo e alguns até dos séculos II-III a.C. É que as nossas edições da Bíblia Hebraica então tinham como base manuscritos do século X da era cristã, e agora temos em mãos textos mil anos mais antigos, muito mais próximos de sua origem.

A descoberta dos Manuscritos do Mar Morto confirma aquilo que as pessoas que creem na Bíblia sempre souberam, ou seja, que a Bíblia, tal qual a temos na atualidade, é um texto que passa nos testes de fidedignidade. Sempre houve pessoas que questionaram a confiabilidade das Escrituras. Já que o texto fora copiado e re-copiado ao longo dos séculos, os críticos achavam impossível saber-se com certeza o que os escritores bíblicos escreveram ou queriam dizer originalmente. Pela comparação da nossa Bíblia atual com os textos de Qumran, chegou-se à conclusão que nossos textos são fruto de cópias muito fiéis feitas a mão através dos séculos. Foram encontradas, sim, algumas leituras divergentes, mas em pontos bastante secundários e nesses casos os estudiosos devem ponderar o valor das alterações constatadas. Em alguns casos, Qumran trouxe efetivamente certas variantes que são úteis para melhorar o nosso texto.

Os textos encontrados dão-nos ainda a conhecer o quadro ideológico judaico no tempo do nascimento do Evangelho cristão, isto é, o ambiente vital em que o Cristianismo nasceu. Mesmo os escritos não bíblicos são registros valiosos que possibilitam a compreensão do contexto da vida e da cultura na época do Novo Testamento.

A respeito das semelhanças entre o Cristianismo e a espiritualidade vivida em Qumran, note-se que também nos textos de lá foram encontradas expressões cristãs como "justiça de Deus", "o mistério da iniquidade", "a justificação pela fé", "pobres em espírito", "obras da lei", "Igreja de Deus", "a sorte dos santos", "o Senhor do céu e da terra", etc. que não são encontradas nos textos rabínicos daquela época.

Mas o estudioso E. Stauffer apontou 8 diferenças entre o judaísmo de Qumran e o Cristianismo:

- um clericalismo maior em Qumran;
- mais ritualismo e cerimônias;
- o preceito de amar os filhos da luz e odiar os filhos das trevas;
- o militarismo e a preparação para a guerra "apocalíptica";
- a supervalorização do calendário;
- o caráter esotérico;
- a expectativa de dois Messias;
- o relacionamento diverso com o Templo, com os sacerdotes de Jerusalém e com a Lei.

49 Temos provas históricas da existência de Jesus?

Se levarmos em conta os documentos bíblicos, podemos dizer que nenhum personagem antigo foi tão documentado quanto Jesus, que teve quatro biógrafos (evangelistas) e outros que se referiram a Ele em suas cartas (Paulo, Pedro, Tiago, Judas). Se há razões para duvidar da existência de Jesus, muito maiores razões haveria para dizer o mesmo de Júlio César, Alexandre Magno e outros grandes vultos da história. Mas, como se trata de autores muito ligados a Jesus, alguém poderia colocar em dúvida a imparcialidade do Novo Testamento.

Por isso, é muito importante perguntar se também entre os escritores judeus ou pagãos existe quem tenha feito referências a Ele. E a resposta é positiva. Vejamos.

Flávio Josefo (37-100 d.C.)

Do historiador judeu Flávio Josefo possuímos o chamado *Testimonium Flavianum*, no qual ele se refere a Jesus. Está em seu livro escrito em grego *Antiguidades Judaicas*, livro 18, parágrafos 63 e 64.

É um texto bastante discutido, sobre o qual há três opiniões: Uns dizem que toda a passagem é espúria; para outros, ao contrário, toda ela é autêntica. E há os que reconhecem nela algumas adições feitas por copistas cristãos. Dessa terceira opinião são os abalizados escritores Pierre Battifol (1861-1929), Marie-Joseph Lagrange (1855-1938) e Giuseppe Ricciotti (1890-1964). As supostas adições estão entre colchetes:

> Por essa época apareceu Jesus, um homem sábio (se é lícito chamá-lo de homem, porque ele foi o autor de coisas admiráveis, um mestre tal que fazia os homens receberem a verdade com prazer). Ele fez seguidores tanto entre os *judeus* como entre os *gentios*. (Ele era o Cristo.) E quando *Pilatos*, seguindo a sugestão dos principais entre nós, condenou-o à cruz, os que o amaram no princípio não o esqueceram; (porque ele apareceu a eles vivo novamente no terceiro dia; como os divinos profetas tinham previsto estas e milhares de outras coisas maravilhosas a respeito dele). E a tribo dos cristãos, assim chamados por causa dele, não está extinta até hoje.

Tácito (55-120 d.C.)
Esse historiador romano informa em sua obra *Anais*, 15,44:

> Um boato acabrunhador atribuía a Nero a ordem de pôr fogo à cidade (Roma). Então, para cortar o mal pela raiz, Nero imaginou culpados e entregou às torturas mais horríveis esses homens detestados pelas suas façanhas, que o povo apelidava de cristãos. Este nome vem-lhes de Cristo, que, sob o reinado de Tibério, foi condenado ao suplício pelo procurador Pôncio Pilatos. Esta seita perniciosa, reprimida a princípio, expandiu-se de novo não somente na Judeia, onde tinha a sua origem, mas na própria cidade de Roma.

A seguir, Tácito reprova as torturas infligidas aos cristãos. Escrevendo muitos anos depois dos fatos, ele mostra que seguia as opiniões do seu tempo, contrárias aos cristãos. Mas por isso mesmo ganha valor o seu testemunho sobre Jesus.

Suetônio (69-140 d.c.)

Na sua obra *Vita Claudii*, XXV escreve: *"Judaeos, impulsore Chresto, assidue tumultuantes (Claudius) Roma expulit"*. O que significa: "Cláudio expulsou de Roma os judeus que, instigados por Cristo, se haviam tornado causa frequente de tumultos". Essa expulsão, que deve ter ocorrido no ano 41 d.C., é confirmada por Atos 18,2, que informa sobre o casal Áquila e Priscila que foram expulsos de Roma e vão morar em Corinto, onde hospedam o apóstolo Paulo. Com o nome *Chrestos* Suetônio certamente queria designar Cristo, que em grego significa Messias. E não tendo o cuidado de apurar quem era esse Chrestos, tomou-o por um agitador.

Plínio, o Jovem (61-114 d.C.)

Em uma carta enviada ao imperador Trajano no ano 112 d.C. (Epístolas X,97s), faz uma consulta sobre o modo como devia tratar os cristãos. Como governador da Bitínia, tinha recebido denúncias contra eles, mas nada foi apurado que perturbasse a ordem pública no comportamento deles. Eram pessoas que se comprometiam, sob juramento, a não roubar, não mentir, não cometer adultério. Porém, os sacerdotes dos deuses se queixavam de que os templos se esvaziavam e os vendedores de carnes para os sacrifícios faziam poucos negócios. Dizia também Plínio que os cristãos se difundiam cada vez mais e "estavam habituados a se reunirem em dia determinado, antes do nascer do sol, e cantar um cântico a Cristo, que eles tinham como Deus" (*carmenque Christo, quasi Deo, dicere*).

Ainda se divulga hoje em dia, agora nas redes sociais, uma suposta descrição física de Cristo, que teria sido feita por um romano que o conheceu pessoalmente, um tal de Publius Lentulus, do qual se diz que foi procônsul da Judeia. É certo que não houve na Judeia um procônsul com esse nome. Mas o texto é este:

IV. Curiosidades

Carta dirigida por Publius Lentulus, procônsul da Judeia, ao Imperador Tibério, no tempo da vida terrestre de Jesus

A Tibério, César, saúde.

Eis, majestade, a resposta que desejas. Apareceu por estas terras um homem dotado de excepcional poder, a quem chamam o Grande Profeta. Seus discípulos o chamam de Filho de Deus. Seu nome é Jesus.

Na verdade, ó César, todos os dias ouvem-se coisas prodigiosas desse Cristo, que ressuscita os mortos, cura qualquer enfermidade, e deslumbra Jerusalém inteira com a sua doutrina extraordinária. Ele possui um aspecto majestoso e uma fisionomia resplandecente, cheia de suavidade, de tal maneira que os que o veem o amam e temem ao mesmo tempo. Afirmam que o seu rosto rosado, com a barba dividida ao meio, é de uma beleza incomparável e que a ninguém é dado fixá-lo longamente, tal o seu esplendor.

Nos traços, nos olhos azuis, nos cabelos de um louro-escuro, é semelhante à própria mãe, que é a figura mais linda e mais melancólica que tem aparecido por estas terras.

Nas suas palavras claras, graves, indiscutíveis, vive a expressão da virtude e de uma sabedoria que muito excede a dos gênios.

Quando repreende e reprova, é respeitável.

Quando ensina e exorta, é meigo, afável, fascinante.

Anda descalço, a cabeça descoberta e, ao vê-lo de certa distância, muitos se riem, mas em sua presença, tremem e admiram-no.

Nunca o viram rir, mas muitos o viram chorar.

Todos os que com ele conviveram, asseveram ter recebido saúde e benefícios.

Estou, porém, cercado por indivíduos que afirmam ser ele inimigo de Tua Majestade, porque assegura publicamente que reis e súditos são iguais diante de Deus.

Dá-me tuas ordens e serás prontamente obedecido.
Saúde!
Publius Lentulus
O leitor tem bastante critério para perceber que um Jesus "louro, de olhos azuis" seria mais anglo-saxão do que judeu. E um Jesus que "nunca sorriu" é difícil de imaginar lendo os evangelhos...

A crítica diz que é um "Escrito apócrifo que aparece pela primeira vez na *Vita Christi* de Ludolfo de Saxônia (1295-1377), impressa em Colônia em 1474, embora já em 1450 seja mencionado pelo humanista Lorenzo Valla (1407-1457), negando sua autenticidade. Deve ser de origem monástica, e do século XIII-XIV, embora sua redação atual pareça obra de um humanista do século XV. Está em latim, mas suas fontes são gregas e depende do *Testimonium Flavianum* e de Nicéforo Calixto (1256-1335)".

V

Maria, a escolhida de Deus

50 Por que Nossa Senhora tem grande importância na fé católica?

A importância que tem Maria para nós católicos vem do fato de ela ser a Mãe de Jesus. Em vista dessa maternidade, acreditamos que ela foi concebida sem pecado e foi elevada ao céu em corpo e alma na Assunção. Sendo Jesus a segunda Pessoa da Santíssima Trindade, o Filho do Pai Celeste, Maria deve ser chamada de *Mãe de Deus*, título que a Igreja lhe reconheceu no ano 431 d.c., a saber, no 1º Concílio de Éfeso. No final do Concílio Vaticano II, o Papa Paulo VI proclamou Maria "Mãe da Igreja", isto é, Mãe da Cabeça e Mãe dos membros da Igreja que somos nós.

Para nós católicos, Maria é a garantia da humanidade do Salvador, é aquela que nos garante a Encarnação. Os textos bíblicos sobre Maria são sóbrios, mas teologicamente densos. Eles estão ligados sobretudo à infância de Jesus (capítulos 1 e 2 de Mateus e de Lucas), mas temos também referências no 4º evangelho: Jo 2,1 (bodas de Caná) e Jo 19,25 (ao pé da cruz).

Através da história, a devoção popular a Maria foi se desenvolvendo e em certos pontos houve exageros, como se ela tivesse o mesmo poder espiritual de seu Filho. Lutero e os outros fundadores do Protestantismo combateram as falsas devoções marianas, mas caíram no outro extremo de desconhecer a importância de Mãe de

Jesus. Lutero achava que os mortos não podiam escutar nossas preces, por isso não aceitava a intercessão de Maria. Enquanto os católicos reafirmavam a figura de Maria como marca do Catolicismo, do século XVII em diante o distintivo da teologia protestante foi retirar Maria do foco. Interessavam-se por outras personagens bíblicas femininas, mas menos por Maria. Por exemplo, um site evangélico fala de "Quatro grandes mulheres da Bíblia", apresentadas como "as mulheres mais marcantes do livro sagrado dos cristãos". Sabe quais? Sara, Débora, Rute e Ester. O protestante não pretende intencionalmente desprezar Maria, porém, menospreza-a julgando com isso salvaguardar a devoção adequada ao seu Filho.

Atualmente, no diálogo ecumênico, procura-se evitar todo extremismo que impeça a união das Igrejas. Por isso, temos que avaliar se determinado título que damos a Maria tem fundamento bíblico e está confirmado nos documentos pontifícios mais recentes.

51 O dogma da perpétua virgindade de Maria tem sustentação bíblica?

Vamos explicar todos os textos que costumam ser citados para fazer objeção à virgindade perpétua de Maria. A Igreja católica venera "Maria sempre Virgem" e ensina que ela foi virgem antes do parto, no parto e depois do parto. É dogma de fé, atestado pela Sagrada Tradição Apostólica, como declarou o Papa Paulo V em 7 de agosto de 1555: "A bem-aventurada Virgem Maria foi verdadeira Mãe de Deus, e guardou sempre íntegra a virgindade, antes do parto, no parto e constantemente depois do parto" (DS nº 1880).

Essa verdade é professada não só na Igreja Católica, mas também entre os cristãos ortodoxos e até pelos islâmicos. E assim, também, os chamados Reformadores protestantes, que terminaram por dar origem àquelas que hoje são chamadas "igrejas evangélicas", deram deste dogma o seu testemunho, como vemos, por exemplo, nos escritos do próprio Lutero: "O Filho de Deus se fez homem, concebido do Espírito Santo, sem o auxílio de varão, ao nascer de Maria pura, santa e *sempre virgem*" (Martinho Lutero, 'Artigos da Doutrina Cristã').

a) Antes do parto. Que ela tenha concebido o Filho de Deus sem perder a virgindade é muito claro pela Bíblia e isso ninguém contesta. O próprio anjo Gabriel explica como vai acontecer o nascimento do Messias: "O Espírito Santo descerá sobre ti..." (Lc 1,35).

b) No parto. "O aprofundamento de sua fé na maternidade virginal levou a Igreja a confessar a virgindade real e perpétua de Maria, mesmo no parto do Filho de Deus feito homem". Com efeito, o nascimento de Cristo "não lhe diminuiu, mas sagrou a integridade virginal" de sua mãe. A Liturgia da Igreja celebra Maria como a *"Aeiparthenos"*, a "sempre virgem". (CIC § 499).

A virgindade de Maria no parto é atestada principalmente por documentos da Sagrada Tradição Apostólica, por exemplo, nas palavras de São Gregório Magno (540-604): "O corpo do Senhor, após a ressurreição, entrou onde se achavam os discípulos, passando por portas fechadas, esse mesmo corpo que, ao nascer, saiu do seio fechado, manifestando-se aos olhos dos homens. Não é para admirar que o Senhor, ressuscitado para viver eternamente, tenha atravessado portas fechadas, visto que, para morrer, Ele veio a nós através do seio fechado da Virgem" (*Sobre os Evangelhos*, Hom. 26,1).

Uma quadrinha popular exprime assim o mistério:

No seio da Virgem Maria
Encarnou a divina graça;
Entrou e saiu por ela
Como o sol pela vidraça.

c) Depois do parto. Em Mt 1,25 lemos que "José não conheceu Maria até que ela deu à luz um filho". O verbo "conhecer" nesse sentido semítico significa ter relações sexuais. Para tirar todo equívoco, essa frase costuma ser traduzida assim: "E sem que a conhecesse, ela deu à luz..." Essa expressão "até que" afirma o que não aconteceu, mas não afirma que aconteceu depois. Por exemplo: lemos em Dt 7,24: "Não haverá quem te resista, até que destruas todos." Poderia alguém pensar que, depois de destruídos, irão resistir? Outro exemplo: "Micol, filha de Saul, não teve filhos até o dia de sua morte" (2Sm 6,23). Significa que nunca mais teve filhos.

Em Lucas 2,7 lemos: "Maria deu a luz seu primogênito". Era importante mencionar que Jesus era o primeiro filho, pois sobre o filho primogênito havia toda uma legislação a ser observada, conforme a vemos cumprida para Ele próprio (Lc 2,22-28). O filho "primogênito" pode ser o primeiro de vários, mas pode também ser o primeiro e único. É assim que se entende Zc 12,10: "Ao olhar-me transpassado por eles mesmos, farão luto como por um filho único; chorarão como se chora por um primogênito" (tradução da Bíblia do Peregrino). Uma prova cabal nos vem de uma inscrição sepulcral do ano 5 a.C. descoberta em 1922 em Tell el-Jedouhieh, no Egito, onde se lê que uma mulher chamada Arsinoé morreu "nas dores do parto do seu filho primogênito".

Mas e os irmãos de Jesus citados em Mt 12,46; Mc 3,32; 6,3; Jo 7,5; At 1,14; 1Cor 9,5; Gl 1,19? Observe, primeiro, que eles nunca são chamados "filhos de Maria".

É muito clara a explicação dada por Santo Agostinho: "Quando vocês ouvirem falar dos 'irmãos do Senhor', pensem logo que se trata de algum parentesco que os une a Maria, sem imaginar ter ela tido outros filhos." (*Comentário do Evangelho de João*, XXVIII,3).

"O hábito de nossa Escritura santa, com efeito, é de não restringir esse nome de 'irmãos' unicamente aos filhos nascidos do mesmo homem e da mesma mulher... É preciso penetrar o sentido das expressões empregadas pela Sagrada Escritura. Ela tem sua maneira de dizer. Possui sua linguagem própria. Quem ignora essa linguagem pode ficar perturbado e perguntar-se: Então, o Senhor tem irmãos? Será que Maria teve ainda outros filhos? Não! De modo algum! ... Qual é, pois, a razão de ser da expressão 'irmãos do Senhor'? Irmãos do Senhor eram os parentes de Maria... Como se demonstra isso? Pela própria Escritura, que chama, por exemplo, Ló de irmão de Abraão (Gn 13,8 e 14,14). E ele era tio de Ló, e, todavia, chamam-se ambos de irmãos, unicamente por serem parentes. Também Labão era tio de Jacó, por ser irmão de Rebeca, esposa de Isaac; no entanto, ele diz a Jacó: 'O fato de seres meu irmão não é motivo para que me sirvas de graça' (Gn 29,15). Lede a Escritura e vereis que tio e sobrinho tratavam-se de irmãos." (*Comentário do Evangelho de João*, X,2).

Quando o menino Jesus, aos doze anos, foi a Jerusalém, ele estava sozinho com José e Maria e não acompanhado de outros "irmãos" (Lc 2,42). E no Calvário, a quem Jesus confiou a guarda de sua mãe? A João, o discípulo amado, coisa que não faria se Ele tivesse outros irmãos (Jo 19,26s).

Se Jesus teve a delicadeza de preservar a virgindade de sua Mãe em seu nascimento, por que não haveria de preservar-lhe a virgindade também depois de nascido?

Mas qual é para os católicos o sentido da virgindade de Maria? É o que nos explica Dom Estêvão Bettencourt, OSB:

"O Filho de Maria Virgem é verdadeiro homem, mas é também verdadeiro Deus e, como tal, assinalado pelo seu modo de nascer. A natividade de Jesus é sinal ou símbolo de que: 1) a salvação do gênero humano é algo totalmente gratuito; ela se deve à soberana iniciativa de Deus (cf. Jo 1,13). 2) Com Jesus começa algo novo na história do mundo e dos homens. Entrando no curso dos tempos, Deus recriou o homem. Essa novidade é expressa pelo modo inédito como Jesus nasceu. 3) Na virgindade de Maria torna-se claro o fato de que Deus pode assumir totalmente alguém para o seu serviço, pedindo-lhe renúncia a bens lícitos, sem, por isso, tirar fecundidade a esta criatura, mas ao contrário, dando-lhe mais rica fecundidade. A virgindade física de Maria é o sinal da sua total entrega de espírito a Deus. Sem essa entrega interior, a virgindade biológica não teria sentido para Maria." (*Curso de Iniciação Teológica*, Rio de Janeiro: Escola Mater Ecclesiae, Módulo 26, p.104).

52 Por que Jesus chama Maria de "mulher"? Não é falta de respeito?

Por duas vezes o 4º evangelho nos diz que Jesus chamou Maria de "mulher". Isso ocorreu em momentos muito importantes, no início e no final do seu ministério, a saber, quando fez o primeiro milagre manifestando a sua glória e pouco antes de morrer na cruz. Na intenção do evangelista, essas duas cenas se correspondem. Devemos estar atentos de antemão às alusões simbólicas que João faz quando narra os acontecimentos.

Jo 2,4: Nas bodas de Caná, quando sua Mãe veio lhe dizer que o vinho tinha acabado, Jesus respondeu: "Mulher, que importa isso a mim e a ti? A minha hora ainda não chegou".

Jo 19,26: Jesus na cruz, vendo sua Mãe e o discípulo predileto, disse: "Mulher, eis aí teu filho".

É importante saber que os evangelhos não foram escritos em nossa língua e sim em grego, por pessoas da antiga cultura oriental. Se entre nós chamar alguém de "mulher" parece reservado ao seu marido, não sendo delicado interpelar pessoas assim, nos evangelhos temos frases semelhantes de Jesus. Por exemplo, Ele elogia a mulher cananeia dizendo: "Ó mulher, grande é a tua fé!" (Mt 15,28). E depois de ressuscitado, pergunta a Madalena: "Mulher, por que choras?" (Jo 20,15). Do mesmo modo, ele se dirige àquele que pediu sua intervenção em um caso de herança: "Ó homem, quem me constituiu para ser vosso juiz?" (Lc 12,14).

À luz das profecias que lemos no primeiro e no último livro da Bíblia, podemos entender que Maria está prefigurada naquela Mulher da qual Deus diz à serpente: "Porei inimizades entre ti e a Mulher, entre a tua descendência e a dela; ela te esmagará a cabeça" (Gn 3,15). Esse texto para nós católicos é de suma importância; é chamado de proto-evangelho, primeiro anúncio da salvação, feito aos nossos pais Adão e Eva logo depois do pecado. Maria é aquela Mulher que com seu Filho, sua descendência, vai vencer a serpente. E no final da Bíblia, em Apocalipse 12,1 encontramos a "Mulher vestida de sol", que representa a comunidade messiânica sob os traços da Mãe do Salvador.

Daí se conclui que, quando Jesus chama sua Mãe de "Mulher" Ele está se referindo a essa figura bíblica, confirmando que em Maria se cumprem as promessas de Deus. E no momento supremo de sua vida, quando se entregou pela salvação do mundo e venceu todo o Mal, Ele também a chamou de "Mulher". Pois no Calvário Maria colaborou do modo mais perfeito possível para a vitória do Bem sobre o Mal. Nessa hora, sobretudo, ela foi a Mulher que esmagou a cabeça da serpente. Assim, no momento de confiá-la ao discípulo amado, Ele disse: "Mulher, eis aí teu filho".

Essa explicação nos ajuda a entender outros dois episódios da vida de Jesus, que não constam no 4º evangelho, mas sim nos outros. Alguém informa a Jesus: "Sua mãe e seus irmãos estão lá fora, procurando falar-te." Jesus responde: "Quem é minha mãe e quem são meus irmãos? Aquele que fizer a vontade de meu Pai, esse é meu irmão, irmã e mãe" (Mt 12,46-50). Uma mulher disse no meio da multidão: "Felizes as entranhas que te trouxeram e os seios que te amamentaram!" Jesus responde: "Felizes, antes, os que ouvem a palavra de Deus e a observam!" (Lc 11,27). Na primeira frase, Jesus quer mostrar que tem outra "família", além dos parentes pela carne e o sangue. Essa nova família é formada por aqueles que fazem a vontade de Deus. Com isso, Jesus não excluiu sua Mãe, a primeira cristã, aquela que desde o início deu o seu "sim" a Deus, dizendo: "Faça-se em mim segundo a tua palavra" (Lc 1,38). Mas afirmou que ela pertence a ambas as famílias. A graça maior de Maria foi ter acreditado (Lc 1,45) e sempre seguido a vontade de Deus em sua vida.

A segunda frase é assim comentada por santo Agostinho: "Minha mãe, a quem chamais de feliz, é feliz porque guarda a palavra de Deus. Não é feliz somente porque nela a Palavra 'se fez carne e habitou entre nós' (Jo 1,14). É feliz porque guardou essa mesma palavra de Deus, por quem foi feita e que nela se fez carne."

53 O que se sabe da vida de Nossa Senhora depois de Pentecostes?

O que sabemos da vida de Nossa Senhora provém de duas fontes: a Bíblia Sagrada e os escritos apócrifos. Na interpretação católica, a Bíblia já fala de Maria muito antes de ela vir ao mundo. No relato do pecado original, encontramos as palavras do "proto-evangelho", primeiro anúncio da salvação: "Porei inimizades entre ti e a mulher, entre a tua descendência e a dela" – foi o que disse Deus à serpente, como está em Gn 3,15. Maria é essa Mulher vitoriosa pela sua Imaculada Conceição. É também a virgem anunciada por Isaías, que conceberá e dará à luz o

Emanuel, Deus conosco (Is 7,14). Aludindo a Sofonias 3,14, o Concílio Vaticano II diz que Maria é "a excelsa Filha de Sião", "Aquela que na Santa Igreja ocupa o lugar mais alto depois de Cristo e o mais perto de nós" (LG 54).

Entre os quatro Evangelistas, quem mais escreveu sobre Maria foi São Lucas, o qual afirma ter feito uma "acurada investigação de tudo" antes de redigir sua obra. Com certeza, Maria foi uma das pessoas que ele entrevistou. Por isso, no seu Evangelho temos tantos episódios marianos: anunciação do Anjo, a visita a Isabel, o nascimento de Jesus em Belém, a apresentação dele no templo e Jesus encontrado no templo aos 12 anos. São João mostra a presença de Maria em dois momentos importantes da vida de Jesus: nas bodas de Caná, quando fez o primeiro milagre, e junto à Cruz do Filho no Calvário. Maria rezando com os apóstolos no cenáculo enquanto aguardam o dom do Espírito Santo é a última cena da vida de Maria na Bíblia. O que a gente percebe é que a Bíblia destaca na vida de Maria tudo o que tem mais ligação com seu Filho. Os livros apócrifos procuram satisfazer nossa curiosidade, suprindo as possíveis "lacunas" da biografia. Informam, por exemplo, que os pais de Maria foram Joaquim e Ana, nos falam do nascimento dela, que ela foi apresentada no templo quando menina e também falam sobre seus últimos dias.

O quarto evangelho conta que Jesus, antes de morrer, disse ao discípulo que Ele amava, indicando Maria: "Eis a tua mãe." E acrescenta: "A partir daquela hora o discípulo acolheu-a consigo" (Jo 19,27). Ora, sabemos que São João foi bispo de Éfeso, cidade do oeste da atual Turquia. Será que a levou para tão longe? Nos primeiros anos do Cristianismo, houve em Jerusalém uma violenta perseguição na qual morreram Estêvão e Tiago, irmão de João. Pedro também foi preso e só não morreu porque foi libertado da prisão (At 12,7). Era, pois, prudente livrar a Mãe de Jesus desse perigo.

Ao narrar suas visões, a freira Ana Catarina Emmerich (1774-1824) descreve o local onde se encontrava a casa de Maria nas proximidades de Éfeso. Com essas indicações foi identificada a casa, que estava em estado de abandono e foi convenientemente restaurada. Atualmente é um santuário venerado por católicos e muçulmanos. Ele foi visitado pelo Beato Paulo VI em 26 de julho de 1967, por São João Paulo II em 30 de novembro de 1979 e por Bento XVI em 29 de novembro de 2006. Essas visitas recentes de três Papas demonstram a veneração que a Igreja tem pelo local, embora não se tenha pronunciado sobre a autenticidade da Casa de Maria, justamente por falta de provas científicas convincentes. Então, teria sido de Éfeso que Maria foi elevada à glória do céu em corpo e alma na sua Assunção. Segundo uma tradição, ela estava com 64 anos.

54 Se a Assunção de Maria ao céu é um fato tão importante, não mereceria estar na Bíblia?

Como veremos adiante, houve um tempo em que um texto que falava da Assunção de Maria figurava como apêndice da Bíblia! Junto com a Anunciação e a Purificação, a Assunção de Maria foi uma das três primeiras festas marianas que surgiram no calendário cristão. O senso dos fiéis e a tradição serviram de fundamento para a fé no privilégio especial da Mãe de Deus, pelo qual seu corpo não conheceu a corrupção do sepulcro (cf. Sl 16/15,10).

Efetivamente, a Bíblia fala de outros que subiram ao céu: Henoc (Gn 5,24) e Elias (2Rs 2,11). Mas Jesus em Jo 3,13 falava da revelação das coisas celestiais e que só alguém que tinha estado no céu podia saber e podia testemunhar o que tinha visto no céu. E o único que tinha estado no céu e de lá desceu para falar das coisas celestes, foi Ele, o próprio Jesus. Ele não disse que ninguém tinha subido ao céu, mas disse que ninguém, exceto ele, tinha estado no céu e depois voltou à terra com uma revelação de como eram as coisas do céu. Só Jesus é testemunha ocular dessas coisas.

Quando em 1950 o Papa Pio XII proclamou o dogma da Assunção de Maria ao céu, ele disse: "A Imaculada Virgem, preservada imune de toda mancha da culpa original, terminado o curso da vida terrestre, foi assunta em corpo e alma à glória celeste. E, para que mais plenamente estivesse conforme a seu Filho, Senhor dos senhores e vencedor do pecado e da morte, foi exaltada pelo Senhor como Rainha do universo." A Assunção da Virgem Maria é uma participação singular na Ressurreição de seu Filho e uma antecipação da ressurreição dos outros cristãos (CIC § 966).

O contexto histórico no qual foi proclamado o dogma da Assunção de Maria é muito apropriado. Recordemos que em 1950, apenas 5 anos tinham passado desde a tragédia da segunda guerra mundial, com seus milhões de mortos, seus campos de concentração e câmaras de gás. A dignidade do corpo humano, espezinhada na guerra, foi exaltada no dogma que proclamou o privilégio do corpo de Maria, a carne da qual nasceu o Salvador.

Se Maria passou pela morte ou simplesmente "adormeceu", o Papa não definiu e a questão continua em aberto. Os textos antigos falavam de "trânsito" de Maria ou "Dormição" de Maria. Também não é certo onde Maria passou seus últimos dias: se foi em Éfeso, onde era bispo João evangelista, ao qual Jesus confiou sua mãe (Jo 19,27), ou se foi em Jerusalém, onde existe uma igreja chamada exatamente "Dormição de Maria" e também uma outra, no vale do Cedron, local tradicional de sepulturas, onde estaria o seu túmulo, venerado pelos cristãos desde tempos imemoriais. Há um documento antigo chamado *Dormitio Mariae*, escrito entre o final do século II e começos do século IV, que informa que Maria terminou seus dias em Jerusalém. É esta a narração que se encontra nesse texto:

"Um anjo anuncia a Maria sua morte próxima. Todos os apóstolos são milagrosamente transportados ao redor do seu leito. A Virgem morre como todo ser humano. No enterro, os judeus fazem protestos contra ela, a mãe do 'sedutor'. Depois de sepultada, ressuscita e é levada ao Paraíso." Depois de contar que Maria estava com os doze Apóstolos no cenáculo em oração à espera da vinda do Espírito Santo (At 1,14), a Bíblia nada mais diz da vida dela. Mas até o século VIII o texto grego da *Dormitio Mariae* encontrava-se no final da Bíblia depois do livro do Apocalipse. A Igreja não aceitou esse livro como revelado e o considerou portanto "apócrifo", porque seu estilo é todo diferente e, no século IV, quando a Igreja definiu a lista dos livros inspirados, viu que esse livro tinha muitos acréscimos heréticos e tendenciosos. "Maria esteve associada a Jesus a vida inteira. Associada no corpo, fazendo uma unidade com Ele. Associada na missão redentora, a ponto de ser chamada 'Mãe da Redenção'. Associada na morte e associada por toda a eternidade na glória. Passando pela morte, Maria torna-se para a humanidade a 'feliz porta do céu, para sempre aberta'" (Frei Clarêncio Neotti, OFM). No céu, Maria já participa da glória da ressurreição de seu Filho, antecipando a ressurreição de todos os membros de seu corpo.

55 Por que nós católicos pedimos a intercessão de Maria, se a Bíblia diz que só há um Mediador entre Deus e os homens, Jesus (1Tm 2,5)?

Diz o Vaticano II na Constituição *Lumen Gentium* sobre a Igreja (60-62) que "a missão de Maria na redenção se dá sempre em Cristo, único mediador. A mediação de Maria é uma mediação participada, que flui da mediação de Cristo, ostenta a potência desta, repousa nela e depende inteiramente dela. É uma mediação 'por Cristo, com Cristo e em Cristo', nunca sem Cristo ou no lugar dele. O Concílio afirma, pois, o necessário caráter cristocêntrico da missão mediacional de Maria, isto para afastar qualquer ambiguidade sobre a mediação mariana. A mediação de Maria tem suas raízes no importante papel que ela exerceu na terra, ao lado do Filho, na redenção do mundo. Ela cooperou na obra do Filho com sua fé, esperança e caridade, de modo inteiramente singular. E a missão de Maria perdura no céu mediante sua intercessão, que é o modo como a santa Virgem medeia a graça para seus filhos intercedendo junto a Deus. Esta é a expressão de sua materna caridade, pela qual cuida de seus filhos na terra" (Frei Clodovis M. Boff, OSM).

Concebendo, gerando e alimentando a Cristo, apresentando-o ao Pai no templo, padecendo com Ele quando agonizava na cruz, cooperou de modo singular, com a sua fé, esperança e ardente caridade, na obra do Salvador, para restaurar nas almas a vida sobrenatural. É por esta razão nossa mãe na ordem da graça.

Esta maternidade de Maria na economia da graça perdura sem interrupção, desde o consentimento, que fielmente deu na Anunciação e que manteve inabalável junto à cruz, até a consumação eterna de todos os eleitos. De fato, depois de elevada ao céu, não abandonou esta missão salvadora, mas, com a sua multiforme intercessão, continua a alcançar-nos os dons da salvação eterna. Cuida, com amor materno, dos irmãos de seu Filho que, entre perigos e angústias, caminham ainda na terra, até chegarem à pátria bem-aventurada. Por isso, a Virgem é invocada na Igreja com os títulos de advogada, auxiliadora, socorro, medianeira. Mas isto entende-se de maneira que nada tire nem acrescente à dignidade e eficácia do único mediador, que é Cristo.

Efetivamente, nenhuma criatura pode equiparar-se ao Verbo encarnado e Redentor; mas, assim como o sacerdócio de Cristo é participado de diversos modos pelos ministros e pelo povo fiel, e assim como a bondade de Deus, sendo uma só, se difunde variamente pelos seres criados, assim também a mediação única do Redentor não exclui, antes suscita nas criaturas cooperações diversas, que participam dessa única fonte. Esta função subordinada de Maria, não hesita a Igreja em proclamá-la; sente-a constantemente e inculca-a aos fiéis, para mais intimamente aderirem, com esta ajuda materna, ao seu mediador e salvador.

Sim, Jesus é o único Mediador e toda intercessão dos Santos e de Maria passa também por Jesus: eles levam a Jesus nossa oração, como a Bíblia diz que os anjos também fazem. Nossa Senhora e os Santos não são caminhos independentes para chegarmos a Deus, eles apenas levam nossas preces a Jesus. Mas nada impede que se reze diretamente a Ele.

A própria Bíblia fala de outros intercessores, por exemplo, Abraão pediu a Deus pelos habitantes de Sodoma (Gn 18); Moisés intercedeu pelo povo que tinha adorado o bezerro de ouro (Êx 32); Jó intercedia por seus filhos (Jó 1,5); At 12,5 diz que enquanto Pedro estava na prisão, a Igreja orava por ele e ele foi libertado; Paulo pede aos Tessalonicenses que orem por ele (2Ts 3,1). Ele próprio sempre se lembrava dos romanos, dos coríntios, etc. em suas orações. Se isto acontecia enquanto estavam na terra, muito mais pode acontecer agora que estão na glória junto de Deus.

VI

Palavra Parábola

IV

Palavra
Parábola

56 Como entender a expressão "Reino de Deus"?

Primeiramente, é importante notar que não há diferença essencial entre Reino de Deus e Reino dos Céus. O evangelista Mateus, que é um judeu escrevendo para judeus, evita por respeito mencionar o nome divino e quase sempre diz "Céus" como equivalente de "Deus". Reino dos Céus não é a mesma coisa que céu.

A liturgia católica celebra, no fim do ano litúrgico, antes de começar o Advento, a festa de Jesus Cristo, Rei do Universo. Na oração desse dia pedimos que "todas as criaturas, libertas da escravidão, e servindo à vossa majestade, vos glorifiquem eternamente." É isso que pedimos também cantando aquele hino: "Que seu Reino de amor se estenda sobre a terra". Jesus veio trazer a liberdade, a liberdade de todo tipo de escravidão, principalmente da escravidão do pecado. Ele veio para que tenhamos vida, vida em plenitude (Jo 10,10). E toda a nossa vida é um serviço a Deus e aos irmãos. Como criaturas, somos feitos para a glória de Deus.

Depois de ter recebido o Espírito Santo no Batismo dado a Ele por João, Jesus começa sua missão na Galileia, na periferia da Palestina, convidando: "Convertei-vos, o Reino de Deus chegou!" E proclama bem-aventurados os pobres, os humildes, os misericordiosos, os que promovem a paz. No seu Reino os últimos são os primeiros, porque quem se exalta será humilhado e quem se humilha será exaltado (Lc 18,14).

Ele é um Mestre itinerante, que percorre as cidades e aldeias, anunciando a Boa-Nova. Vão com Ele os doze discípulos que escolheu, germe da futura Igreja, novo Povo de Deus. A pregação de Jesus é acompanhada de milagres que atraem multidões, porque Ele se compadece das misérias do povo. Seu poder e sua sabedoria despertam nas pessoas a vontade de conhecê-lo: Quem é este homem? De onde lhe vem tudo isso? (Mc 6,2). O próprio Jesus perguntou o que se dizia da sua pessoa e Pedro professou sua fé dizendo: "Tu és o Cristo, o Filho de Deus vivo" (Mt 16,16).

Jesus anuncia a pessoa do Pai que o enviou, o Deus misericordioso que ama a todos os seus filhos. A bondade de Jesus manifesta a do Pai. E conhecer o Pai e o Filho será a essência da vida eterna (Jo 17,3). Com este Pai Jesus está em contato permanente pela oração e ensina seus seguidores a rezar a Ele uma oração de amor e confiança. Nessa oração, pedimos que "venha o vosso Reino" (Mt 6,10). Sabemos que o Reino já veio e está no meio de nós (Lc 17,21), mas ele deve crescer e se expandir até alcançar sua plenitude no retorno de Cristo.

Antes de partir deste mundo para o Pai, Jesus nos dá o "seu" mandamento – o amor fraterno – e celebra a Páscoa com os discípulos, instituindo o Sacramento da sua presença eucarística. Cumpre assim a promessa de estar sempre conosco até o fim dos tempos (Mt 28,20). Será o eterno Emanuel, Deus-conosco.

Jesus afirmou sua realeza, mas disse também que seu reino não é deste mundo (Jo 18,36), não tem origem aqui e por isso não faz concorrência com nenhum reino humano. Seu reino é um "reino eterno e universal: reino da verdade e da vida, reino da santidade e da graça, reino da justiça, do amor e da paz". Assim o prefácio da

VI. Palavra, Parábola

Missa de Cristo Rei descreve o programa de Jesus para governar o mundo. São Paulo dirá que o Reino é justiça, paz e alegria no Espírito Santo (Rm 14,17).

A boa nova que Jesus veio trazer é que esse reinado de Deus chegou, e Ele o demonstra por seus sinais, os milagres (Mt 12,28). Jesus apresenta o Reino como uma força de salvação introduzida por Ele no mundo e destinada a crescer até chegar à plena realização no mundo que há de vir. "O Reino de Deus pode significar o Cristo em pessoa" (São Cipriano). Por isso, quando Ele veio ao mundo, pôde dizer que o Reino de Deus chegou. Para nós, entrar no Reino é crer em Jesus Cristo, é tornar-nos seus discípulos. A Igreja da qual fazemos parte é uma primeira amostra do Reino de Deus nessa terra. Por isso, nossas comunidades devem viver o programa de vida proclamado por Jesus. Anunciar a morte de Jesus e sua ressurreição, pela qual Ele se tornou Senhor, é anunciar o Reino.

Cada vez que promovemos na sociedade esses valores que caracterizam o Reino de Jesus, estamos colaborando para fazer o Reino crescer. Faça uma das obras de misericórdia que recordamos no Ano Jubilar e você estará colaborando na construção do Reino. É nesse sentido que Dom Marcos Barbosa, OSB escreveu no seu belo poema:

"Varredor que varres a rua,
tu varres o Reino de Deus...
Nesta rua o Cristo passa diariamente
naqueles que têm parte com ele..."

57 Que significa "pobres em espírito" (Mt 5,3)?

Esse texto de Mateus "Bem-aventurados os pobres em espírito, porque deles é o reino dos céus" dá lugar a uma falsa interpretação, que é totalmente contrária à intenção de Jesus ao pronunciar essa primeira bem-aventurança.

É que muitos entendem "pobre de espírito" como sendo a pessoa mentalmente desequilibrada, que não tem consciência do que é certo e do que é errado. Para outros, "pobre de espírito" é a pessoa que não se atira à luta em busca de dias melhores e por isso não cresce na vida; ou é a pessoa apegada às coisas rasteiras, materialistas e fúteis. Os tradutores da Bíblia sabem muito bem que essa frase de Mateus é uma das mais difíceis para se traduzir. As traduções são aproximativas. Veja aqui alguns exemplos:

- Bem-aventurados os que são pobres em espírito
- Bem-aventurados os pobres de espírito
- Bem-aventurados os que têm um coração de pobre
- Bem-aventurados os que têm espírito de pobre
- Bem-aventurados os pobres de coração
- Felizes os que reconhecem sua pobreza
- São muito afortunados os humildes

É bom lembrar que São Lucas, ao relatar as bem-aventuranças, escreveu simplesmente "Bem-aventurados os pobres", sem nenhuma qualificação. No Antigo Testamento, às vezes, a riqueza aparece como recompensa de Deus a seus servos fiéis. Assim, Abraão era rico, como também Jó, o qual, passada a provação, recupera sua riqueza (Jó 42,10). Mas pouco a pouco, Deus vai se revelando como aquele que "levanta do pó o fraco e do monturo o indigente para colocá-los em um lugar de honra" (1Sm 2,8). A própria legislação mosaica vai tutelar os direitos dos pobres, das viúvas e dos estrangeiros. Às vezes, na literatura sapiencial, a pobreza é considerada como consequência da preguiça, mas nos profetas os pobres são tidos como oprimidos, que precisam de justiça.

A Bíblia, quando fala de pobreza, não está se referindo à miséria, que é sempre algo contra os planos de Deus. Trata-se de uma vida modesta e desapegada, mas com todo o necessário para uma vida humana digna. O ideal econômico da vida cristã está descrito em 1Tm 6,7ss: "Nada trouxemos para o mundo, nem coisa alguma dele podemos levar. Se temos alimento e vestuário, contentemo-nos com isso... porque a raiz de todos os males é o amor ao dinheiro".

O retrato do "pobre em espírito" pode ser assim esboçado: ele aceita a pobreza, vive o desprendimento e renuncia à cobiça. Através das provações sofridas, aprendeu a confiar somente em Deus. Tem uma real necessidade de Deus e sente-se pobre e insatisfeito diante das coisas e riquezas deste mundo e por causa disso busca uma riqueza maior, espiritual e verdadeira.

E como é que os ricos podem viver essa bem-aventurança? O caso de Zaqueu é emblemático. Quando ele falou em partilhar os bens, em reparar as injustiças, a resposta de Jesus foi: "Hoje a salvação entrou nesta casa" (Lc 19,9). Converter-se ao pobre, aderindo à causa do pobre, é abrir o coração para Deus.

58 Pedi e recebereis (Mt 7,7). É assim que acontece sempre?

Essa pergunta se baseia nas promessas de Jesus, falando da oração de súplica: "Pedi e vos será dado; buscai e achareis; batei e vos será aberto; pois todo aquele que pede recebe; o que busca acha e ao que bate se lhe abrirá" (Mt 7,7s). E palavras idênticas encontramos no texto paralelo de Lc 11,9s.

O que dizer daquelas orações, novenas etc. que interpretam literalmente essas palavras, propondo aos fiéis orações fortes, poderosas, infalíveis, para conseguir algo impossível?

Estudando as obras do nosso Fundador Santo Afonso, o Pe. Paulo Sérgio Carrara, C.Ss.R. responde que, sendo Afonso fiel à Sagrada Escritura, não afirma que receberemos qualquer coisa que pedirmos a Deus. Se assim fosse, Deus ficaria à mercê de nossos caprichos e interesses egoístas. Teria que cumprir a agenda dos nossos desejos, submetendo-se a nós. Então, o que devemos pedir a Deus com a segurança de que receberemos? Nosso Santo responde: a salvação. A oração que Deus sempre atende é aquela na qual pedimos as graças necessárias à nossa salvação, porque se trata do maior bem que Deus nos pode conceder: fazer-nos participar da sua vida, admitindo-nos à comunhão com ele. Nisso consiste o bem maior ao qual devemos aspirar: a comunhão com Deus, e ela é o maior fruto da oração.

Santo Afonso não nos ensina a ser ingênuos e infantis na relação com Deus, como é o caso daqueles que exigem de Deus a satisfação de todos os seus desejos para que creiam. Não. Afonso nos quer adultos e nos encoraja a orar buscando as graças necessárias à nossa salvação. Assim ele entende o texto de Lc 11,9: "Pedi e vos será dado; buscai e achareis; batei e vos será aberto". Se perseverarmos na oração, Deus acabará nos introduzindo no seu mistério no qual seremos salvos. "A promessa divina de atender nossas orações não serve para as graças temporais, mas somente para as espirituais, necessárias ou úteis para a salvação da pessoa".

E se formos pecadores, receberemos o que pedimos na oração? A pergunta tem sentido, porque lemos em João 9,31 que "Deus não ouve, (não atende, não escuta) os pecadores." Isto disse um cego de nascença que foi curado por Jesus, afirmando diante dos fariseus que o milagre não teria acontecido se seu autor fosse um pecador. "Mas ele falou assim quando ainda não estava iluminado pela graça" explica Santo Tomás de Aquino. Aliás, o próprio evangelho já dá a resposta na história do publicano que rezou: "Senhor, tem piedade de mim, pecador!" e voltou para casa justificado (Lc 18,13s).

Conforme ensina Santo Afonso, se o pecador buscasse a ajuda de Deus para permanecer no seu pecado, não seria atendido. Por exemplo, se alguém pede a Deus ajuda para se vingar do inimigo, essa oração jamais será atendida, porque contradiz a salvação que Deus quer conceder a todos. Deus não quer o mal, em nenhuma hipótese. Quando, pois, o pecador é atendido? Quando pede por sua salvação. A promessa de Jesus foi feita a todos: quem pede, recebe (cf. Lc 11,10). A força da oração não se encontra no mérito de quem ora, por isso Afonso aconselha os pecadores a não desanimarem. A força da oração está unicamente na misericórdia de Deus que, por sua bondade, prometeu atender aquele que ora. Não é necessário ser amigo de Deus para orar; a oração nos torna seus amigos.

Agora, vamos imaginar a seguinte situação. Uma família inteira rezou pela saúde de um de seus membros, e aconteceu que ele/ela veio a falecer. As orações foram inúteis? Não valeram de nada? Deus simplesmente as ignorou? Longe de nós pensar dessa maneira, pois Deus é nosso Pai, principalmente nas horas difíceis. Temos que acreditar que, na sua bondade, Deus concedeu à família outras graças, como aceitar com serenidade a separação, crescer na fé e na confiança, maior união entre as pessoas, etc. Lembre-se do provérbio: "Deus não se deixa vencer em generosidade".

59 *Explique a frase "Deixa que os mortos enterrem seus mortos" (Mt 8,22).*

Quando Jesus o chamou, aquele rapaz estava decidido a aceitar, mas tinha uma dificuldade que o impedia de partir imediatamente com Ele. Precisava sepultar seu pai. Essas palavras se entendem melhor no sentido amplo de uma assistência que ele devia dar ao pai na velhice, na doença, até que chegasse a sua hora e ele pudesse cumprir os últimos deveres de filho. Não é que o pai já estivesse morto e a hora do enterro se aproximava. Pois nesse caso o rapaz não estaria perto de Jesus e sim ao lado do pai, tanto mais porque o costume na Palestina era sepultar poucas horas depois da morte. Jesus não iria exigir dele o sacrifício de ausentar-se nessa hora extrema. Portanto, o rapaz está pedindo um prazo indeterminado para poder seguir Jesus. Cuidar dos familiares mais velhos era algo muito sagrado na cultura judaica. Assim, esse rapaz não estava pedindo nada de mais a Jesus.

Mas o apelo do "segue-me" exige ação rápida, decisão imediata, mais importante e urgente que aquelas obrigações filiais. Assim, Jesus passa e vai adiante sem insistir, pois queria que seu chamado fosse atendido imediatamente. Contava com pessoas generosas e desprendidas que o amassem mais que aos seus: "Quem ama seu pai e sua mãe mais do que a mim, não é digno de mim" (Mt 10,37). Somente Deus pode pedir, em relação à família, aquilo que pede Jesus, sem violar o quarto mandamento.

É bem intransigente a resposta de Jesus: "Segue-me, e deixa que os mortos enterrem seus mortos". Uma palavra terrível, cujo segredo Jesus não explica. Os rabinos chamavam de 'mortos' os ímpios e de 'vivos' os justos. Mas aqui Jesus parece dizer que 'vivo' é aquele que é chamado à vida da graça e do apostolado e 'morto' aqueles que permanecem no mundo e se ocupam dos negócios seculares. Deixa a estes o cumprimento do dever de dar sepultura. "Segue-me". Aqui aparecem em toda a sua clareza as exigências de uma vocação divina. Feliz aquele que, a exemplo dos apóstolos, deixa tudo e vai! É de se admirar o heroísmo de um soldado que, em um perigo extremo de seu país, assume seu lugar no campo de batalha e deixa aos outros da retaguarda os cuidados com a família. Por que bastaria uma dedicação menor quando se trata do reino de Deus? Em certos momentos da vida, o maior serviço que Deus pode nos prestar é nos convidar a fazer um ato de heroísmo que nos eleva acima do nosso nível ordinário.

60 *Onde está na Bíblia "Faze tua parte, que te ajudarei?"*

Existem provérbios populares que associam o trabalho humano à bênção de Deus. Por exemplo: "Deus ajuda quem cedo madruga". "Fé em Deus e pé na tábua". Alguns têm procurado na Bíblia essas expressões, mas elas não se encontram lá literalmente. É interessante notar, porém, que há provérbios na boca do povo que estão quase iguais na Bíblia, por exemplo: "Imita a formiga, viverás sem fadiga" (ver Pr 6,6); "quem dá aos pobres empresta a Deus" (ver Pr 19,17). Aliás, esse livro bíblico traz muita sabedoria condensada em ditados que ensinam a viver.

Uma certeza que nós temos é que Deus nunca fará em nosso lugar aquilo que podemos e devemos fazer. Não recorremos a Deus ou aos Santos para entregar a eles nossas responsabilidades e cruzar os braços.

Alguns citam, para confirmar isso, o fato da ressurreição de Lázaro, quando Jesus ordenou que retirassem a pedra do túmulo (Jo 11,39). Assim como Ele tinha poder para ressuscitar Lázaro, podia também com uma só palavra ordenar que a pedra se movesse. Mas Ele quis a colaboração de quem estava lá, não fez sozinho o milagre.

Existem na Bíblia muitas expressões que falam dessa colaboração de Deus com a nossa atividade humana. Por exemplo:

- Pr 21,31: "Prepara-se o cavalo para o combate; porém quem dá a vitória é o Senhor".
- Sl 37/36,5: "Entrega teu caminho ao Senhor; confia nele, e ele agirá."
- Mt 7,7: "Pedi e recebereis, procurai e achareis, batei e abrir-se-vos-á".
- Sb 6,12.14: "A sabedoria é facilmente encontrada pelos que a buscam; quem por ela madruga não se cansa: pois a encontra sentada à sua porta".

Essa última frase parece ser uma expressão bíblica do provérbio "Deus ajuda quem cedo madruga". Uma expressão muito bonita dessa união das atividades humana e divina está em 1Cor 3,6 quando Paulo diz: "Eu plantei, Apolo regou, mas é Deus quem fazia crescer." E novamente falando do seu apostolado, ele diz na mesma carta: "Trabalhei mais do que todos; não eu, mas a graça de Deus que está comigo" (15,10).

61 Por que Jesus falava em parábolas?

Parábola é uma comparação da qual se extrai um ensinamento. É uma história popular tirada do mundo material e da vida ordinária, e usada para ensinar uma lição sobre verdades espirituais. Encontram-se parábolas já no Antigo Testamento, como o cântico da vinha de Is 5,1-7 e a história da ovelha única roubada (2Sm 12,1-14). Elas ensinam a ver as realidades espirituais através das coisas simples do mundo e da vida. Deste modo se reconhece uma harmonia profunda entre o mundo do espírito e o da natureza. As criaturas têm o dom de elevar nosso espírito ao Criador e às coisas espirituais. Podemos aprender com as aves do céu e com os lírios do campo, como mostrou Jesus (Mt 6,26-28).

VI. Palavra, Parábola

O tema principal das parábolas é o Reino de Deus já presente e em crescimento no mundo. No tempo de Jesus esperava-se uma intervenção triunfal de Deus na história para inaugurar o Reino na terra. Ao contrário, as parábolas apresentam o Reino de Deus começando com toda humildade e modéstia. Seu crescimento é lento e misterioso (Mc 4,26s), pois tem de enfrentar contestações e precisa tolerar a presença dos maus até o julgamento decisivo (Mt 13,37-42). Mas o Reino está destinado a crescer e vai acolher pessoas de todas as classes e nações. Há também parábolas sobre a misericórdia e o perdão, a oração e a caridade, a vigilância e o desapego das riquezas. Entre essas, temos páginas belíssimas como as histórias do bom samaritano e do filho pródigo. Ao todo, são mais de 40 parábolas somente nos evangelhos.

São Marcos diz que Jesus nada ensinava a não ser em parábolas, conforme podiam entender (4,33). Por isso, a intenção de Jesus ao falar em parábolas não podia ser dificultar a compreensão da mensagem, mas justamente o contrário.

Temos, porém, dois textos de difícil interpretação: Mc 4,11s e seu paralelo Mt 13,13s.

Mc 4,11s: "A vós (discípulos) é comunicado o segredo do Reino de Deus; aos de fora tudo é proposto em parábolas, a fim de que por mais que olhem não vejam, por mais que ouçam não entendam" (citação de Is 6,9s). A Bíblia do Peregrino traduziu: "de modo que por mais que olhem não vejam..." atenuando um pouco o sentido de finalidade. A explicação dos estudiosos é que São Marcos constata que com sua pregação Jesus não conseguiu evitar a incredulidade dos judeus. Vê, então, realizada a profecia de Isaías: os ouvintes (muitos deles) ficaram surdos e cegos diante do Evangelho. Portanto, o sentido da frase é: "para se cumprir a profecia, que diz: por mais que olhem não veem".

Vejamos agora o texto de Mt 13,13s: "É por isso que lhes falo em parábolas: *porque* veem sem ver e ouvem sem ouvir nem entender. É neles que se cumpre a profecia de Isaías que diz: 'Certamente haveis de ouvir, e jamais entendereis; certamente haveis de enxergar e jamais vereis.'"
Mateus evitou o "para que" e colocou "porque", mitigando o paradoxo.

As parábolas revelam as disposições de cada ouvinte, se são de acolhida ou de rejeição; e conforme essas disposições, elas iluminam ou cegam (Mc 4,10ss). A parábola tem muito de enigma. Quem se fecha ao mistério, olha sem ver, ouve sem escutar. Daí a advertência de Jesus, várias vezes repetida: "Quem tiver ouvidos para ouvir, que ouça! (Mt 13,9; Mc 4,9; Lc 14,35). O ensinamento só será captado por quem tiver as disposições necessárias. Assim, Jesus se manifesta efetivamente como "sinal de contradição, ruína e ressurreição para muitos" (Lc 2,34). Ele atrai os corações bem dispostos e desencaminha os que não querem compreender.

As parábolas nos mostram em que grau apurado Jesus tinha o dom de observar a natureza e as atividades humanas, costumes e situações. Pois Ele retira suas comparações de coisas que viu ou ouviu na vida familiar, social, política, no noticiário etc. Podemos imaginar que reparou como sua mãe misturava fermento em três medidas de farinha para fazer o pão (Lc 13,20s); como viu o semeador no campo (Lc 8,5), o joio e o trigo crescendo juntos, os pescadores separando os peixes, o pastor que procura a ovelha perdida, pedreiros construindo, operários na vinha, empregados e patrões, festas de casamento, gente rezando, etc. Tudo na vida tinha uma relação com o que Ele veio ensinar, pois a criação é o primeiro livro escrito para nos revelar quem é Deus.

62 Qual é o pecado contra o Espírito Santo?

No momento em que Jesus falou do pecado contra o Espírito Santo (Mt 12,31, Mc 3,29 e Lc 12,10), Ele tinha acabado de expulsar um demônio e os escribas atribuíram o milagre ao poder do príncipe dos demônios, como se este o ajudasse a fazer o milagre. Então Jesus pronunciou esta sentença: "Quem blasfemar contra o Espírito Santo, jamais será perdoado: é culpado de pecado eterno".

Comentando essa passagem, diz a Bíblia de Jerusalém: "Atribuir ao demônio o que é obra do Espírito Santo é subtrair-se à luz da graça divina e ao perdão que dela emana. Tal atitude coloca, por sua própria natureza, fora da salvação." Esse pecado é a recusa de reconhecer as obras do Espírito, apesar da evidência. A pessoa se fecha totalmente à ação de Deus.

A função do Espírito Santo é convencer do pecado e levar ao arrependimento (Jo 16,8). Pecar contra o Espírito Santo é pecar contra a luz, contra a verdade. Em outras palavras, é rejeitar a própria salvação. Assim a pessoa não chegará nunca ao arrependimento, condição essencial para obter o perdão.

O Catecismo da Igreja Católica diz a esse respeito: "A misericórdia de Deus não tem limites, mas quem se recusa deliberadamente a acolher a misericórdia de Deus pelo arrependimento, rejeita o perdão de seus pecados e a salvação oferecida pelo Espírito Santo. Semelhante endurecimento pode levar à impenitência final e à perdição eterna" (§ 1864).

"Deus, que te criou sem ti, não te salvará sem ti". (Santo Agostinho). Para que sua misericórdia nos alcance, temos de reconhecer e confessar nossos pecados com um sincero arrependimento.

Pecar contra o Espírito Santo é rejeitar todo tipo de graça divina, é desligar-se totalmente de Deus, o que vem a ser um insulto a Ele, que tudo fez para nos oferecer a salvação e a libertação do pecado. Quem comete blasfêmia contra o Espírito Santo não sente remorso, porque abandonou completamente todo tipo de oração e não tem a menor vontade de arrepender-se.

O soberbo, o arrogante, que não têm temor de Deus, vive desafiando a Deus, com suas atitudes, como se dissesse: "Quem terá poder sobre mim? Pequei, e que de mal me aconteceu?" (Eclo 5,3s). Sua vida de pecados não o incomoda, por isso ele vai ficando obstinado no mal e caminha para a impenitência. Seu coração fica endurecido e insensível diante das ofensas que comete contra Deus.

Mas quem mantém sua união com Deus pela oração e continua suplicando a misericórdia do Pai, pode ter a certeza de não ter pecado contra o Espírito Santo.

63 O que Jesus quis dizer em Lc 12,53: "Ficarão divididos: pai contra filho..."?

Jesus diz: "Pensais acaso que vim trazer paz à terra? Não, eu vos digo, mas a divisão... Dividir-se-ão pai contra filho e filho contra pai..." Coisa semelhante lemos em Mt 10,34s.

No tempo de Jesus havia dois partidos que pregavam a violência contra os romanos: os sicários e os zelotas. Mas esse texto não se refere a uma revolução armada ou guerrilha.

O seu significado é que a mensagem do Evangelho requer uma tomada de decisão e mudança de vida. E esta mudança causa uma reação por parte de outras pessoas. Por causa disso, surgem divisões na família, no trabalho, na escola e em todas as áreas do viver, que são designadas pelo Mestre como "espada".

A decisão pelo Evangelho, automaticamente, é uma ruptura com os padrões ditados pelo "mundo", que é o sistema governado pelo mal.

"E é assim que o julgamento é feito: Deus mandou a luz ao mundo, mas as pessoas preferiram a escuridão porque fazem o que é mau" (Jo 3,19).

Os cristãos por natureza amam a paz e os bons relacionamentos. Mas por não se enquadrarem na ideologia do mundo, recebem a inimizade de pessoas que rejeitam os princípios da luz.

Estamos acostumados a pensar que Jesus traz a paz – e não sem razão, porque Ele é o Príncipe da paz (Is 9,5) que nos dá a sua paz (Jo 14,27) e que diz que todos os que pegam da espada perecerão pela espada (Mt 26,52). Porém, neste texto diz que veio trazer a espada e não a paz, e para dividir a família. O motivo é que aqui Jesus está falando não da finalidade da sua vinda, mas do resultado da sua vinda. Isto é: Jesus veio para dar a paz, paz com Deus para nós (Rm 5,7), a paz de Deus em nós (Fl 4,7), e portanto a paz com outros que partilham dessa paz divina (Ef 2,14-18). Mas, como Jesus foi e é rejeitado por muitos, essa paz que se pode receber não quer dizer uma vida tranquila; quer dizer, ao contrário, oposição semelhante à oposição manifestada contra Ele. Recebemos a paz de Deus e fazemos as pazes com os outros, mas recebemos rejeição e divisão da parte daqueles que não aceitam essa paz.

Desta forma, a Bíblia de Jerusalém explica em comentário que, embora Jesus não queira discórdias, "as provoca necessariamente em virtude das escolhas que exige".

64 Como se explica a parábola dos operários da vinha (Mt 20)?

Em Mateus 20,1-16 Jesus conta a história dos trabalhadores convidados em vários momentos do mesmo dia para trabalhar em uma plantação. O patrão escolhia na praça os homens disponíveis e os levava. Assim, uns trabalharam o dia todo e outros apenas uma hora. No fim do dia, o patrão pagou o salário combinado, mas deu a mesma quantia a todos. Aí, os que trabalharam mais tempo reclamaram, dizendo que não era justo. O patrão não aceitou as reclamações, porque todos receberam o que havia sido combinado antes. É verdade que ele foi muito generoso com aqueles que começaram a trabalhar por último, mas ele explicou que o dinheiro era dele e podia fazer do dinheiro o que quisesse.

Vamos refletir e ver como isso acontece também em nossa vida. Todos aqueles homens estavam desempregados, esperando na praça quem os contratasse. Os que foram chamados primeiro eram certamente os mais fortes e mais jovens. E quem ficou por último, ao contrário, era o pessoal mais idoso. Por que o patrão não foi injusto dando a mesma quantia a todos? Primeiro, porque aquela era a quantia combinada. E segundo, porque o patrão entendeu que, mesmo trabalhando menos, aqueles últimos deram o que podiam dar; não aguentariam ficar o dia todo no serviço.

Essa parábola tem uma lição preciosa para nós: Deus pede a cada um de nós somente aquilo de que somos capazes, pois Ele conhece nossos limites. Foi isso que dizia o Papa São João Paulo II nos últimos anos de sua vida, quando já estava quase sem forças: "Deus só pede de mim o que posso fazer." Por isso é normal que em uma Comunidade uns trabalhem mais, outros menos, mas se cada um estiver fazendo o possível, Deus se contenta com aquele pouco que a gente pode dar.

65 Que quis dizer Jesus com as palavras "Eu quero misericórdia e não sacrifício"?

No evangelho de Mateus, essas palavras aparecem duas vezes: Mt 9,13 e 12,7. São uma frase do profeta Oseias 6,6: "Quero misericórdia e não sacrifício; conhecimento de Deus mais que holocaustos". Em Mt 9,13 Jesus

VI. Palavra, Parábola

está à mesa ao lado de pecadores e os fariseus perguntam a seus discípulos por que Ele faz isso. Ele próprio responde citando o profeta e acrescenta que não veio chamar justos, mas pecadores. Em Mt 12,7 temos de novo uma resposta aos fariseus, que reprovam os Doze porque estão arrancando espigas em um sábado. E Jesus, além de lembrar a palavra de Oseias, diz: que o Filho do Homem é senhor do sábado.

A dificuldade está nisto: se Deus determinou na antiga lei diversos tipos de sacrifícios – holocaustos, oblações, sacrifícios de comunhão – como o profeta podia dizer que Deus não os queria? É que aqui temos um modo tipicamente hebraico de falar: Quando eles diziam "quero isto e não aquilo", estavam indicando uma preferência, não uma recusa, ou seja, "prefiro isto àquilo". Uma boa tradução seria esta: "Prefiro a misericórdia ao sacrifício".

A mesma interpretação vale para a famosa frase "Amei Jacó e odiei Esaú" (Ml 1,2s citado por são Paulo em Rm 9,13). Assim está no texto original e é uma frase atribuída a Deus, mas Deus pode odiar? A resposta é que isso se chama "semitismo", modo hebraico de falar, que as traduções procuram contornar, colocando: "Amei Jacó e amei menos Esaú". Nesse semitismo, uma afirmação seguida de negação equivale a uma comparação.

Outro exemplo é Dt 21,15, que fala do homem que tem duas esposas, gosta de uma e "detesta" a outra. Nós diríamos que ele prefere a primeira à segunda.

Lemos também em Gn 4,5 que Deus se agradou da oferta de Abel, mas não se agradou da de Caim. Vale a mesma interpretação: Ele preferiu a oferta de Abel à de Caim.

Agora você entende por que Jesus pode dizer em Lc 14,26: "Se alguém vem a mim e não odeia seu próprio pai e mãe... não pode ser meu discípulo". Nas traduções, evita-se a palavra "odeia", interpretando "e não ama menos seu próprio pai e mãe". O que Jesus pede é o desapego, como fica claro no texto paralelo, Mt 10,37: "Quem ama o pai ou a mãe mais do que a mim não é digno de mim".

Voltando a Mt 9,13, Jesus está dizendo que veio ao mundo para salvar os pecadores, e por isso devia andar à procura deles para atraí-los ao arrependimento com seu perdão, sua bondade. Em Mt 12,7 ele mostrou compreensão e benignidade para com os discípulos, dispensando-os da lei do sábado.

Quando Deus fala na Bíblia que não quer os sacrifícios, abomina as festas etc., está reprovando aqueles rituais puramente externos, oferecidos sem o verdadeiro espírito de piedade. Assim, lemos em Is 1,11-16: "Que me importam os vossos inúmeros sacrifícios? Estou farto de holocaustos de carneiros... Basta de trazer-me ofertas vãs... não posso suportar falsidade e solenidade! ... Lavai-vos, purificai-vos. Tirai da minha vista vossas más ações!" Sim, praticar a caridade, mostrar misericórdia vale mais do que oferecer sacrifícios.

66 *Por que Jesus mandou rezar para que "a vossa fuga não aconteça no sábado ou no inverno" (Mt 24,20)?*

O capítulo 24 de Mateus contém o último dos cinco discursos de Jesus que o primeiro evangelista recorda, o chamado sermão "escatológico", porque se refere aos últimos acontecimentos da história (*eschaton* em grego significa "último"). O ponto de partida foi o anúncio da destruição de Jerusalém, descrita com as palavras "não ficará pedra sobre pedra" (v. 2). De fato, daí a 40 anos, o general romano Tito haveria de arrasar a cidade como castigo pela revolta dos judeus contra o domínio de Roma. Esse fato foi realmente o fim de um mundo e serviu de imagem para o fim do mundo, o fim da história humana.

VI. Palavra, Parábola

Outro tema deste sermão é a vinda gloriosa do Filho do Homem. Este capítulo 24 pertence à literatura apocalíptica, que floresceu no final do Antigo Testamento e começos do Novo. Foram tempos de sofrimento e de opressão, mas a chama da fé e da esperança se mantinha viva na alma do povo através dessa linguagem típica dos apocalipses, que usava muitos símbolos e uma comunicação cifrada para não ser entendida pelos opressores. Na Bíblia há vários capítulos que utilizam essa linguagem e até um livro inteiro, o Apocalipse de João.

Ao interpretar, temos de levar em conta todo esse contexto. No texto proposto, Mt 24,20, Jesus está dando orientações para uma fuga de Jerusalém, quando fossem vistos certos sinais.

Eusébio de Cesareia (260-340 d.C.), considerado o "pai da História Eclesiástica" narra que

> os membros da Igreja de Jerusalém, através de uma profecia proveniente de uma revelação feita aos fiéis mais ilustres da cidade, receberam a ordem de deixar a cidade antes da guerra e transferir-se para uma cidade da Pereia, chamada Pela. Para lá fugiram os fiéis de Cristo, de sorte que os santos varões abandonaram totalmente a régia capital dos judeus e toda a terra da Judeia. Então a justiça de Deus atingiu os judeus que haviam praticado tais iniquidades contra Cristo e os apóstolos e esta geração de ímpios desapareceu inteiramente do meio dos homens.

Os fugitivos deviam pedir a Deus que a fuga não acontecesse nem no inverno nem em dia de sábado. Os motivos são: no inverno a chuva, o frio e a neve dificultam as viagens e no sábado era proibido andar mais que 900 metros. A ordem divina sobre o sábado está em Êx 16,29: "Cada um fique em seu lugar, ninguém saia do próprio lugar no sétimo dia". Os rabinos, de mentalidade legalista, decidiram determinar exatamente qual distância era permitido percorrer no sábado e chegaram a estipular que o limite seria dois mil côvados, que correspondem a mais ou menos um quilômetro.

67 Como entender a parábola das 10 virgens?

Mateus 25,1-13 apresenta dez moças convidadas para uma festa de casamento. O que está simbolizado nessa história é a felicidade da vida eterna à qual todos os seguidores de Jesus são convidados. O noivo é Jesus, as moças representam a comunidade que está aguardando a nova vinda do seu Senhor. Ele vem com certeza, mas ninguém sabe quando. Vivemos em um tempo de expectativa e de esperança: "Vem, Senhor Jesus!" (Ap 22,20). O casamento é figura da festa à qual somos convidados. A mensagem final de Jesus é clara: "Vigiai, porque não conheceis o dia nem a hora" (Mt 25,13).

Os detalhes da parábola mostram como era o costume vigente no tempo de Jesus. O casamento é à tardinha ou à noite. O noivo demora a chegar, o que aumenta a ansiedade. Mas sobrevém o cansaço e todas as moças caem no sono. E onde fica a vigilância? Não perderam o ingresso na festa por terem dormido. O problema não é que dormiram, o problema será a falta de óleo. A vigilância no caso consiste em ter óleo para suas lâmpadas. Pois não haverá tempo para buscá-lo, a porta do salão de festas se fecha imediatamente.

A explicação da parábola depende do significado que se dá a esse óleo. Pois dá a impressão que as moças prudentes foram egoístas, recusando ajudar as outras que pediam óleo. Ter ou não ter óleo significa ter ou não praticado boas obras, pelas quais seremos julgados. São atos pessoais, bens próprios de cada um, e por isso intransferíveis. Cada um será responsabilizado por seus atos, bons ou maus, sem que possa recorrer a terceiros. A vigilância consiste, pois, na prática da justiça, e nesse ponto vale a advertência de Jesus: "Se vossa justiça não superar a dos escribas e fariseus, não entrareis no Reino dos céus" (Mt 5,20).

68 A quem Jesus se refere quando fala no Paráclito (Jo 15,26) e no Espírito da Verdade (Jo 16,13)?

Em Jo 16,13 Jesus diz: "Quando ele vier, o Espírito da Verdade, ele vos conduzirá à verdade completa. Pois não falará de si mesmo, mas falará tudo o que ele ouvir e vos anunciará as coisas futuras". "Paráclito" é uma palavra grega que significa "aquele que é chamado para perto de". Termos sinônimos são: advogado, defensor, protetor, intercessor, animador, consolador, alguém que conforta e encoraja. Na última ceia, segundo os relatos do 4º evangelho, ao anunciar e prometer a vinda do Espírito Santo, Jesus o denominou "Paráclito": Jo 14,16.26; 15,26; 16,7. Jesus é o primeiro Paráclito, 1Jo 2,1. O Espírito Santo dá vida, unidade e movimento a todo o Corpo de Cristo, que é a Igreja. "Se Cristo é a cabeça da Igreja, o Espírito Santo é a sua alma" – escreveu o papa Leão XIII na encíclica *Divinum illud munus* de 1897.

Em 1Jo 2,1, "paráclito" é utilizado para descrever o papel de intercessor que Jesus tem junto ao Pai em nome dos fiéis.

O próprio Jesus chama o Espírito Santo de "Espírito da Verdade" (Jo 16,13). Além do seu nome próprio, que é o mais empregado nos Atos dos Apóstolos e nas Epístolas, encontram-se nas Cartas de Paulo as denominações: Espírito da promessa (Gl 3,14; Ef 1,13), Espírito de adoção (Rm 8,15; Gl 4,6), Espírito de Cristo (Rm 8,11), Espírito do Senhor (2Cor 3,17), Espírito de Deus (Rm 8,9.14; 15,19; 1Cor 6,11; 7,40) e, em São Pedro, Espírito de glória (1Pd 4,14). (CIC § 693).

Conforme as promessas de Jesus, o Espírito da Verdade, o outro Paráclito, será dado pelo Pai. Será enviado pelo Pai em nome de Jesus; Jesus o enviará de junto do Pai. O Espírito virá no dia de Pentecostes sobre a Igreja de Cristo para estar com ela para sempre. Ele ensinará tudo e recordará o que Cristo disse e dele dará testemunho. Conduzirá sua Igreja à verdade inteira e glorificará a Cristo.

Ao Espírito Santo é atribuída a nossa santificação. Seus extraordinários efeitos em nós são chamados de dons (Is 11,2s), frutos (Gl 5,22s), bem-aventuranças. Ao santificar-nos, o Espírito nos concede a graça habitual, as virtudes infusas, a adoção filial e o direito à herança celeste. "O amor de Deus – diz São Paulo em Rm 5,5 – foi derramado em nossos corações pelo Espírito Santo que nos foi dado". São Paulo ensina também que o Espírito Santo habita em nós como em um templo (Rm 8,9.11; 1Cor 3,16). É pelo batismo e pela crisma que recebemos o Espírito Santo com seus dons.

69 Por que Jesus foi crucificado?

Essa pergunta tem muitas respostas, conforme se levam em conta as circunstâncias históricas de sua morte e/ou o mistério da Redenção que se cumpriu através daqueles mesmos acontecimentos. O mundo novo que Jesus anunciou incluía igualdade de direitos para todos e o fim de privilégios de categorias. Com sua pregação e suas atitudes, Jesus despertou forte oposição da parte dos chefes religiosos da época, que o acusaram de falso profeta e de violador do sábado; de falar contra o templo e contra a lei de Moisés, de blasfemo, porque se dizia igual a Deus e perdoava pecados. Várias vezes os evangelhos relatam que os judeus procuravam tirar-lhe a vida. Chegaram até a pegar pedras para apedrejá-lo (Jo 10,31). Mas quando foi preso e processado, usaram como motivo para convencer Pilatos a dar a sentença de morte a falsa acusação de ser Ele um agitador político, um pretenso rei. Em Mt 27,18 lemos que "Pilatos bem sabia que o povo havia entregado Jesus por inveja". E como se fosse o motivo da sua condenação, mandou escrever na cruz: "Jesus Nazareno, Rei dos judeus" (Jo 19,19). Jesus não cometeu nenhum pecado, nunca fez nada que desagradasse a seu Pai, não poderia ser condenado por nada. Ele só fez o bem nessa terra... enfim foi Deus num corpo de homem. Portanto não tinham motivos para crucificá-lo. E além de tudo Ele passou por isso sem reclamar, para cumprir a vontade de seu Pai, por amor.

Tudo isso aconteceu para se cumprir os misteriosos desígnios de Deus que "tanto amou o mundo que lhe deu seu Filho único, para que não morra quem nele crê, mas tenha a vida eterna" (Jo 3,16). A Carta a Diogneto (séc. II) diz: "Deus mesmo entregou o seu próprio Filho como resgate por nós, o santo pelos pecadores, o inocente pelos maus, o justo pelos injustos, o imortal pelo mortal." Por três vezes Jesus anunciou aos discípulos o que o esperava: "O Filho do homem vai ser entregue nas mãos dos homens, e eles o matarão; e uma vez morto, depois de três dias ressuscitará" (Mc 9,31). E disse também: "Eu dou a minha vida... ninguém pode tirá-la de mim, eu a dou livremente" (Jo 10,17s). E quando foi preciso explicar aos judeus como era possível que o Messias esperado morresse em uma cruz, os Apóstolos citaram as profecias que constavam na Bíblia. Ele cumpriu a profecia de Isaías: "Foi traspassado por causa de nossos crimes, esmagado por causa de nossas iniquidades... Maltratado, deixou-se humilhar... como cordeiro levado ao matadouro, não abriu a boca" (Is 53 5.7). São Paulo resumiu todo esse mistério em uma só frase: "Cristo morreu pelos nossos pecados e ressuscitou para nossa justificação" (Rm 4,25). Com isso, Ele nos deu a maior prova de amor, que é morrer para salvar o irmão.

70 O que quer dizer "padeceu sob o poder de Pôncio Pilatos"?

Essas palavras estão no nosso Credo, o resumo da nossa fé. "Padecer" significa "sofrer"; neste caso, sofrer a morte. "Sob o poder de" é a mesma coisa que "durante o governo de". Significam que Jesus foi condenado a morrer no tempo em que Pôncio Pilatos era governador da província romana da Judeia. Sabe-se que ele exerceu esse cargo entre os anos 26 e 36 d.C. E era a única autoridade que podia legitimamente condenar alguém à morte, por isso era dele que os judeus tinham de obter a sentença de morte contra Jesus. Nos diálogos entre Jesus e Pilatos narrados pelo 4º evangelho, Pilatos diz: "Tenho poder para te soltar e poder para te crucificar". E Jesus lhe responde: "Não terias nenhum poder sobre mim se não te fora dado do alto; por isso, quem me entregou a ti tem um pecado maior" (Jo 19,10s). Pilatos chegou a reconhecer a inocência de Jesus, pois disse: "Não encontro nele (em Jesus) nenhum motivo de condenação" (Jo 18,38). Mas foi fraco diante da pressão dos judeus que o ameaçaram dizendo: "Se o soltares, não és amigo de César, porque todo aquele que se faz rei se opõe a César". Não ser amigo de César, imperador de Roma, significaria para Pilatos o fim da sua carreira; então ele cedeu.

71 Como entender a palavra de Jesus ao bom ladrão: "Hoje estarás comigo no paraíso" (Lc 23,43)?

Ao bom ladrão, que lhe pedia: "Jesus, lembra-te de mim, quando vieres com teu Reino", Jesus responde: "Na verdade te digo: hoje estarás comigo no paraíso" (Lc 23,42s). Os comentadores chamam a atenção para o fato de "paraíso" ser uma palavra rara no Novo Testamento: só é usada três vezes. E dizem que não pode ser a mesma coisa que céu, porque Jesus ainda ia descer à mansão dos mortos. Com certeza, Jesus quis dizer ao bom ladrão que ele alcançaria a salvação sem demora e que estar com Jesus já significava a felicidade eterna. Assim entendeu Santo Ambrósio, que escreveu: "Pois a vida é estar com Cristo; portanto, onde está Cristo, aí está a vida, aí está o reino".

Temos esta bela explicação do papa emérito Bento XVI: "Como o bom ladrão tenha imaginado concretamente a entrada de Jesus no seu reino e em que sentido lhe tenha, consequentemente, pedido a lembrança de Jesus, não sabemos. Mas obviamente, na cruz, ele próprio compreendeu que esse homem despojado de todo o poder é o verdadeiro rei: aquele de quem Israel está à espera e ao lado de quem agora ele quer estar não só na cruz, mas também na glória."

A resposta de Jesus ultrapassa o pedido. No lugar de um futuro indeterminado, coloca o seu "hoje": "Hoje estarás comigo no paraíso". Também essa frase está repleta de mistério, mas mostra-nos seguramente isto: Jesus sabia que entrava diretamente na comunhão com o Pai, que podia prometer o "paraíso" já para "hoje". Sabia que reconduziria o homem ao paraíso, donde decaíra, àquela comunhão com Deus onde está a verdadeira salvação do homem.

Desse modo, na história da devoção cristã, o bom ladrão tornou-se a imagem da esperança, a consoladora certeza de que a misericórdia de Deus pode alcançar-nos até mesmo no último instante; aliás, a certeza de que, depois de uma vida transviada, a oração que implora a sua bondade não é vã. "O bom ladrão acolhendo, grande esperança me dais" – reza a sequência *Dies irae*.

Desse episódio São Jerônimo conclui: "Nunca é tarde demais para se converter: um ladrão passou do patíbulo ao paraíso".

72 Quem era "o discípulo que Jesus amava", que aparece no 4° evangelho?

Para responder, precisamos examinar os cinco lugares do 4° evangelho, onde aparece a expressão "o discípulo que Jesus amava". Todos eles estão na segunda parte desse evangelho, a qual trata da "hora de Jesus".

- Jo 13,23: (Na última ceia) "estava reclinado bem perto de Jesus, um de seus discípulos, aquele a quem Jesus amava"
- Jo 19,26: "Jesus (na cruz), vendo sua mãe e, perto dela, o discípulo que amava, disse à sua mãe: "Mulher, eis aí teu filho".
- Jo 20,2: "Ela (Maria Madalena) correu e foi procurar Simão Pedro e o outro discípulo, aquele que Jesus amava".
- Jo 21,7: "O discípulo a quem Jesus amava disse a Pedro: 'É o Senhor!'"
- Jo 21,20.24: "Voltando-se, Pedro viu que os seguia o discípulo a quem Jesus amava..." "Este é o discípulo que dá testemunho dessas coisas e as escreveu".

Desses textos se conclui que o "discípulo amado" estava na última ceia e também ao pé da cruz; e que ele é o autor do 4° evangelho.

A tradição sempre atribuiu ao apóstolo João a composição do 4° evangelho, embora certamente não tenha sido ele o último redator, como o prova o capítulo final. É interessante notar que o nome desse apóstolo não aparece no 4° evangelho, pois quando este menciona João, está falando de João Batista (cf. Jo 1,15.19.26.28.32.35).

Há autores que, mesmo dispondo de tantas indicações, ainda supõem que "o discípulo amado" não é um dos Doze Apóstolos e propõem outro personagem dos evangelhos,

VI. Palavra, Parábola

como o jovem rico, ao qual Jesus "olhou com afeição" (Mc 10,21), ou Lázaro, irmão de Marta e Maria, junto a cujo túmulo Jesus chorou, suscitando o comentário dos judeus: "Vede como ele o amava!" (Jo 11,36), ou até mesmo Maria Madalena, muito ligada ao Mestre, a qual presenciou sua morte na cruz e foi a primeira a vê-lo Ressuscitado (Jo 20, 14).

Entre os Doze, havia um grupo de três que eram mais próximos de Jesus e estiveram presentes em momentos especiais de sua vida. São eles Pedro, Tiago e João, irmão de Tiago. Esses dois tinham como pai Zebedeu (Jo 21,2). Quando Jesus ressuscitou a filha de Jairo, apenas eles três o acompanharam (Mc 5,37). Os mesmos três subiram com Jesus ao monte da Transfiguração (Mc 9,2) e presenciaram sua agonia no horto das Oliveiras (Mc 14,33). Se for um dos três o discípulo amado, temos de excluir Pedro pelas citações do capítulo 21 acima mencionadas. Também não pode ser Tiago, pois consta que ele foi morto no ano 44 como narra At 12,2. Resta a pessoa de João.

O que sabemos de João pelos evangelhos? Sobre ele, temos o seguinte episódio narrado por Marcos e por Lucas. João diz a Jesus: "Mestre, vimos alguém expulsar demônios em teu nome e quisemos impedi-lo porque ele não te segue conosco". Jesus não aprovou essa atitude e respondeu: "Não o impeçais, pois quem não é contra vós está a vosso favor (Lc 9,49s).

Ao dar a lista dos doze apóstolos, Marcos informa que Tiago e João receberam de Jesus o apelido de Boanerges, que significa "filhos do trovão" e combina bem com este fato contado por Lucas (9,51-55): os discípulos não foram bem recebidos pelos samaritanos quando por lá passavam, indo para Jerusalém; em vista disso, Tiago e João perguntaram a Jesus: "Senhor, queres que ordenemos desça fogo do céu para consumi-los?" E Jesus os repreendeu. Isso está bem distante daquela figura meiga de adolescente que a gente associa a João.

Em outra ocasião, os mesmos dois Boanerges provocaram a indignação dos outros apóstolos, ao pedirem a Jesus os primeiros lugares no Reino (Mc 10,37). Jesus deu-lhes uma boa lição: "Aquele que dentre vós quiser ser grande, seja o vosso servidor", assim como o Filho do homem, que não veio para ser servido, mas para servir. Dá para perceber a transformação que João teve que fazer em sua pessoa, para dominar seus impulsos de autopromoção e deixar que o evangelho do amor orientasse a sua vida. Por tudo isso, cresceu no conceito e na amizade de Jesus, que lhe deu a suprema prova de confiança quando no Calvário entregou-lhe sua Mãe para que a protegesse nos seus últimos anos (Jo 19,26s). Porque de fato, ninguém soube falar melhor do que João a respeito do amor de Deus e da caridade fraterna que deve reinar entre os cristãos.

Qual seria o motivo da predileção de Jesus por João? Dizem alguns que João era o único que entendia realmente o Mestre. Os evangelhos mostram diversas vezes que os Doze não compreenderam algumas coisas que Jesus falava. Ao lavar-lhe os pés, Jesus disse a Pedro: "O que faço, não compreendes agora, mas o compreenderás mais tarde" (Jo 13,7). Depois de ressuscitado, "Jesus abriu-lhes a mente para que entendessem as Escrituras" (Lc 24,45).

Entre os evangelistas, foi reservado a João o símbolo da águia, porque dentre os quatro é o maior teólogo, aquele que alcança mais longe com o seu olhar. De fato, começa o seu evangelho não com o nascimento de Jesus na terra, mas com a preexistência do Verbo no seio da Trindade, antes de se encarnar. Na linguagem plástica de Frei Carlos Mesters, "os evangelistas nos mostram fotos da vida de Cristo e João apresenta os fatos em raio x." Ele quer dizer: enquanto, por exemplo, Mateus, Marcos e Lucas narram curas de cegos, João conta apenas uma e é para mostrar que Jesus é a luz do mundo (Jo 9,5). A multiplicação dos pães é descrita por todos os quatro evangelistas, mas só em São João ela termina revelando "o pão vivo descido do céu" (Jo 6,51). João vai além dos acontecimentos e propõe o sentido último deles.

O título "discípulo amado" não provém do próprio João, mas vem dos que redigiram o 4º evangelho.

73 *Por que, quando nasce uma criança, enquanto não é batizada, ela não é uma cristã verdadeira?*

Em 1Cor 7,14 São Paulo diz que bastaria um dos esposos ser cristão, para que seus filhos possam ser considerados "santos". Isso vale mais ainda, com certeza, se ambos os pais são cristãos, santificados pelo sacramento do matrimônio. Como filho de cristão, o filho é já recebido de certa maneira na comunidade dos santos, antes de ser batizado.

E o que ele recebe ao ser batizado? O fruto do batismo ou graça batismal é uma realidade rica que comporta: a remissão do pecado original e de todos os pecados pessoais; o nascimento para a vida nova, pelo qual o homem se torna filho adotivo do Pai, membro de Cristo, templo do Espírito Santo. Com isto mesmo, o batismo é incorporado à Igreja, corpo de Cristo e se torna participante do sacerdócio de Cristo (CIC § 1279).

Quanto às crianças mortas sem batismo, a Igreja as confia à misericórdia de Deus, como o faz no rito das exéquias por elas. Com efeito a grande misericórdia de Deus, que quer a salvação de todos (1Tm 2,4) e a ternura de Jesus para com as crianças que o levou a dizer: "Deixai vir a mim as criancinhas e não as impeçais" (Mc 10,14), nos permitem esperar que haja um caminho de salvação para as crianças mortas sem Batismo. Eis por que é tão premente o apelo da Igreja de não impedir as crianças de virem a Cristo pelo dom do santo Batismo (CIC § 1261).

Em caso de necessidade, qualquer pessoa pode batizar uma criança, desde que tenha a intenção de fazer o que faz a Igreja, e que derrame água sobre a cabeça da criança, dizendo: "Eu te batizo em nome do Pai e do Filho e do Espírito Santo." (CIC § 1284).

É bom avisar as pessoas, que existem muitas superstições, sem nenhum fundamento, em torno do batismo de crianças. Por exemplo:

- faz mal a mãe da criança estar presente ao batismo do/a filho/a.
- é perigoso dar à criança o nome de um irmão falecido; ela corre o risco de "não vingar". Por outro lado, "é bom" dar o nome de pai, avô, padrinho, mesmo que tenham falecido.
- a criança precisa chorar na hora do batismo. Se não chorar, é mau presságio: a criança pode morrer no mesmo ano do batizado ou em muito breve.
- enquanto não batizar a criança, ela não terá saúde; o batismo afasta as doenças e o mau olhado.
- a criança não batizada dá azar; filho pagão é perigoso; o menino fica impossível.
- criança pagã que dorme no escuro morrerá cedo.
- no dia do batismo, a madrinha deve dar o banho no afilhado.
- faz mal convidar um casal de namorados para serem padrinhos.

Tudo isso é pura crendice; não merece ser levado a sério. Mais importante, porém, é saber as razões que levam a Igreja católica a praticar o batismo das crianças. É um costume baseado em antiga tradição, como sabemos pelas palavras de Orígenes (ano 185-255 d.C.): "A Igreja recebeu dos Apóstolos a tradição de dar batismo também aos recém-nascidos". É bem possível que, desde o início da pregação apostólica, quando "casas" inteiras receberam o Batismo, também se tenham batizado as crianças delas. Por exemplo, At 16,15 diz que "Lídia foi batizada junto com sua família" e At 16,33 diz que o carcereiro de Filipos recebeu o batismo "com todos os seus". As crianças são incapazes de um ato de fé pessoal, mas o batismo lhes é administrado na fé da Igreja. O batismo das crianças manifesta que o batismo "é uma graça e um dom de Deus que não supõe méritos humanos" (CIC § 1282).

74 *O que acontece com as pessoas que se batizam mais de uma vez ao mudarem de igreja?*

"Há um só Senhor, uma só fé, um só batismo" (Ef 4,5). Há igrejas que não acham válido o batismo católico, porque nos foi dado, geralmente, quando éramos crianças sem o uso da razão. Então fazem novo batismo quando um católico é admitido lá. A nossa Igreja, ao receber alguém que foi batizado em outra igreja, procura saber como foi dado o batismo. Se ele preencheu determinadas condições, é considerado válido e não se repete. Existe até uma lista de igrejas cujo batismo a Igreja católica reconhece. O Batismo é o novo nascimento para a ordem da graça, pelo qual o batizado se torna filho de Deus Pai, irmão de Jesus Cristo, templo do Espírito Santo e membro da Igreja, sendo ornado de todas as virtudes e dons do Espírito Santo. O batismo imprime caráter, isto é, é indelével, dura para sempre. Por isso, um segundo batismo seria totalmente sem sentido, uma cerimônia sem efeito. Em At 19,1-7 lemos que Paulo mandou batizar doze pessoas já batizadas anteriormente, mas foi porque elas tinham recebido o batismo de João Batista e não o batismo cristão.

O batismo realizado fora da Igreja Católica é considerado válido contanto que:

- seja dado com água natural;
- o mesmo ministro pronuncie, enquanto aplica a água, a fórmula exata: "Eu te batizo em nome do Pai, e do Filho e do Espírito Santo".
- tenha o ministro a intenção de fazer o que Cristo faz através da sua Igreja.

Assim sendo, há igrejas cujo batismo é certamente válido, outras cujo batismo é claramente inválido e outras ainda que administram um batismo de valor duvidoso.

75 Como entender que um Deus-amor possa condenar um filho seu à morte eterna?

Atualmente, a pastoral da Igreja apela mais para o amor e menos para o temor, por isso não utiliza tanto como antes o argumento do medo. Santo Afonso dizia que as conversões obtidas por medo duram pouco tempo, ao contrário daquelas motivadas pelo amor a Deus. A palavra "inferno" significa "subterrâneo" e no Antigo Testamento designa um lugar tenebroso no qual todos os mortos, bons e maus, são reunidos. Naquele tempo não se tinha a visão de eternidade que foi revelada mais tarde. Por isso, Ecl 9,2 diz que "há uma sorte única para todos, para o justo e o ímpio". Este sentido aparece também no Novo Testamento, quando se diz que Cristo "anunciou a salvação aos espíritos que aguardavam na prisão" (1Pd 3,19), desceu "às regiões inferiores da terra" (Ef 4,9), designadas na versão antiga do Credo antigo

VI. Palavra, Parábola

como "infernos" e na atual como "mansão dos mortos". Nos evangelhos, Jesus faz diversas referências ao inferno: Mt 5,29s; Mt 7,13; Mt 13,41s; Mt 18,9. A mais clara de todas é na descrição do juízo final, quando fala da sentença que os maus ouvirão: "Afastai-vos de mim, malditos, para o fogo eterno!" (Mt 25,41). A Bíblia afirma que "Deus quer a salvação de todos" (1Tm 2,4), "que nenhum se perca" (2Pd 3,9), e que Jesus morreu por todos (cf. Rm 5,6). Mas Deus criou o ser humano livre e respeita a sua liberdade. Não salva nenhuma pessoa contra a vontade dela. Cada um tem que fazer a sua parte, colaborar com a graça e muitos não o fazem. É palavra de Santo Agostinho: "Deus, que te criou sem ti, não te salvará sem ti". Não é propriamente Deus que condena, é o ser humano que se condena, porque decide ir pelo caminho contrário a Deus. "O julgamento é assim: a luz veio ao mundo, mas os homens preferiram as trevas à luz, porque suas obras eram más" (Jo 3,19). O que chamamos de inferno é um estado em que a pessoa está separada de Deus para sempre, pela sua própria opção livre. Trevas, fogo são símbolos do terrível tormento de sentir-se separado de Deus, "o Único em que o homem pode ter a vida e a felicidade para as quais foi criado e às quais aspira ardentemente" (CIC § 1035).

Quem em sua vida terrena esteve longe de Deus, desobedecendo suas leis, não fazendo livremente a opção de amá-lo e morre em pecado mortal sem ter-se arrependido e sem acolher o amor misericordioso de Deus, não pode esperar da justiça divina senão o castigo de ficar separado dele para sempre. É salutar o pensamento do que acontece com os ímpios obstinados no erro, para nos chamar à responsabilidade no uso de nossa liberdade e nos levar à conversão, sabendo que estão sempre abertas para todos as portas da misericórdia infinita do Pai.

VII

A Igreja

VII

A Igreja

76 Por que a Igreja prega a doutrina do purgatório?

No céu só entra quem está totalmente puro. Por isso, "os que morrem na graça e na amizade de Deus, mas não estão completamente purificados, passam, após sua morte, por uma purificação, a fim de obterem a santidade necessária para entrarem na alegria do céu. A Igreja denomina *purgatório* esta purificação final dos eleitos. A Igreja formulou essa doutrina sobretudo nos Concílios de Florença e de Trento, fazendo referência a "certos textos da Escritura" (CIC § 1030-31). Quais textos? Em 1Cor 3,15 Paulo escreve, a respeito de algum operário do Evangelho: "Ele mesmo será salvo, como que através do fogo". Orígenes (185-255 d.C.) foi o primeiro a ver neste texto uma alusão ao purgatório; vários autores depois dele têm citado este texto para confirmar este ensinamento da Igreja. Jesus diz em Mt 12,31 que "quem falar contra o Espírito Santo não terá perdão, nem neste mundo nem no outro". Daí pode-se deduzir que certas faltas têm perdão na outra vida. Uma prova bíblica mais clara é 2Mc 12,45: "É um pensamento santo e salutar rezar pelos mortos, para que sejam perdoados de seus pecados". O contexto dessa afirmação é uma batalha na qual morreram alguns soldados judeus, em cujas vestes foram encontrados objetos consagrados a ídolos. Os sobreviventes "puseram-se em oração, implorando que o pecado cometido fosse completamente cancelado" (2Mc 12,42).

A palavra "purgatório" não está na Bíblia. Mas essa doutrina é antiquíssima na Igreja, que desde os primeiros séculos já rezava por seus mortos nas catacumbas romanas, onde se encontram muitas inscrições atestando essa fé. Sabemos que Jesus só pregou, não escreveu nada. Muitas coisas que Ele falou e fez não entraram na Bíblia. Alguns Apóstolos (nem todos) escreveram e assim foi se formando o Novo Testamento. A transmissão do Evangelho, segundo a ordem de Jesus, se fez de duas maneiras: oralmente e por escrito. A transmissão oral é chamada de Tradição. E existem tradições apostólicas, que vêm dos Apóstolos e que eles receberam diretamente de Jesus. Os evangelhos não contêm todas as palavras de Jesus.

São Paulo nas suas Cartas apenas completava o que tinha ensinado de viva voz. Ele escreve em 2Ts 2,15: "Irmãos, guardai as tradições que vos ensinamos oralmente ou por escrito." Então é impossível encontrar toda a doutrina cristã na Bíblia. Por exemplo: Prova para mim, só pela Bíblia, quais são os livros da Bíblia. Parece simples: Você olha o índice da Bíblia e os livros estão lá um por um. Mas então, por que a edição católica é diferente da evangélica? É porque seguimos tradições diferentes. Está vendo? Os evangélicos também têm sua tradição...

77 Tenho inveja das pessoas que acreditam, que têm uma fé firme. Como posso crescer na fé?

O Papa Francisco comentou certa vez: "Todos conhecemos pessoas simples e humildes, mas com uma fé fortíssima, que verdadeiramente move montanhas! Pensemos, por exemplo, em certas mães e pais que enfrentam situações muito pesadas, ou em certos doentes, inclusive gravíssimos, que transmitem serenidade a quem vai ali visitá-los. Estas pessoas, justamente pela sua fé, não se

VII. A Igreja

vangloriam daquilo que fazem, antes, como pede Jesus no Evangelho, dizem: "Somos servos como quaisquer outros. Fizemos o que devíamos fazer". Quanta gente entre nós tem esta fé forte, humilde, e que faz tanto bem! Qual o segredo? Para explicar o que é a fé, a Carta aos Hebreus diz: "A fé é o firme fundamento dos bens esperados, e a prova das coisas que não se veem" (11,1). Certamente, a fé não é uma conquista nossa, é dom de Deus, é graça. Para aumentar nossa fé, temos a oração. Podemos rezar como pediram os Apóstolos: "Senhor, aumentai a nossa fé" (Lc 17,5). Muito importante também é ler a Bíblia, ler os Evangelhos, interessar-se pelas coisas da religião, procurar aprender, esclarecer as dúvidas, participar de grupos de oração. Aqui vale também o que Jesus mesmo prometeu: "Pedi e recebereis, buscai e achareis" (Mt 7,7).

78 *Vejo pessoas comungando em todas as Missas, mas eu não me sinto digna de comungar...*

Quando nos prometeu a Eucaristia, Jesus disse: "O pão que eu darei é a minha carne para a vida do mundo... Se não comerdes a carne do Filho do homem e não beberdes seu sangue, não tereis a vida em vós" (Jo 6,51.53). Como o corpo humano precisa do alimento para se manter vivo, assim nossa vida espiritual precisa do alimento espiritual. É tão importante para nós a Comunhão, que "a Igreja recomenda vivamente aos fiéis que recebam a santa Comunhão toda vez que participam da celebração da Eucaristia; impõe-lhes a obrigação de comungar pelo menos uma vez por ano" (CIC § 1417). Àqueles que não querem comungar, por se acharem indignos, Santo Afonso de Ligório diz: "Menos digno te tornarás, pois serás mais fraco e cairás mais". E ensinava que "as faltas, quando não plenamente voluntárias, não impedem a Comunhão."

Também não impedem a Comunhão os pecados veniais, as negligências de cada dia, a falta de oração, as pequenas vaidades, o amor-próprio, a preguiça em certos afazeres, etc. Tudo isso é perdoado por Deus no Ato Penitencial da Santa Missa, ou com um ato de contrição. É importante estar disposto a perdoar a todos os que nos ofenderam; pois, sem isto Deus não pode nos perdoar.

A rigor, ninguém mereceria a Comunhão, pois comungar é receber a visita de um Deus ao seu coração, e por isso todos dizemos na Missa: "Senhor, eu não sou digno..." A própria Missa nos ajuda a preparar-nos para a Comunhão pelo Ato Penitencial e por muitas outras orações. Quem deve abster-se da Comunhão é a pessoa que estiver consciente de ter cometido um pecado grave, um pecado mortal, que separa de Deus.

Há pessoas que, quando não podem comungar, deixam também de ir à Missa, pensando que a Missa sem a Comunhão não tem valor. É um erro, pois assim se afastam ainda mais de Deus. A Missa é importante, não só por causa da Comunhão que se pode receber, mas também pela Palavra que se ouve e pelas orações feitas em comunidade.

Em um sermão sobre a Eucaristia, o Papa Francisco afirmou que "Jesus derramou o seu sangue como preço e como batismo, para que fôssemos purificados de todos os pecados". Se bebermos dessa fonte, acrescentou, "o Sangue de Cristo nos libertará dos nossos pecados e restituirá a nossa dignidade". E sublinhou que "a Eucaristia não é um prêmio para os bons, mas força para os fracos e pecadores, o perdão e o viático que nos ajuda a andar e a caminhar."

A santa Comunhão aumenta a união do comungante com o Senhor, perdoa-lhe os pecados veniais e o preserva dos pecados graves. Por serem reforçados os laços de caridade entre o comungante e Cristo, a recepção deste sacramento reforça a unidade da Igreja, corpo místico de Cristo (CIC § 1416).

VII. A Igreja

79 Como dialogar com uma pessoa que acredita em reencarnação?

Filósofos antigos, como Pitágoras e Platão, e também antigas religiões do Oriente, acreditaram na reencarnação, que é definida como "volta da alma ou Espírito à vida corpórea, em outro corpo especialmente formado para ele e que nada tem de comum com o antigo". Os espíritas acreditam na reencarnação, nós cremos na ressurreição, que é algo bem diferente. Ressurreição é voltar à vida para nunca mais morrer, como aconteceu com Jesus. A Igreja condenou diversas vezes a teoria da reencarnação. O testemunho da Bíblia é bastante claro. Já dizia Jó: "Como a nuvem se dissipa e passa, assim quem desce ao abismo não retorna; não voltará mais à sua casa, sua morada não o reconhecerá" (7,9s). E a Carta aos Hebreus proclama: "Está decretado que os homens morram uma só vez, depois do que vem o julgamento" (9,27).

A reencarnação supõe que você mesmo vai se purificando, você mesmo se salva, por isso é contra a verdade do Cristo único salvador. Torna inútil a Redenção por Cristo, já que cada um alcança a salvação por si só. E se nós vivêssemos muitas vidas, afinal por qual delas seríamos julgados?

Para os espíritas, a reencarnação explicaria certos tipos de sofrimentos que não sabemos explicar. É fácil dizer que estamos pagando culpas de vidas passadas, mas quais exatamente? Como podemos nos corrigir, se não sabemos qual foi o erro?

Alguns pensam encontrar na Bíblia a afirmação da reencarnação, mais precisamente nas seguintes palavras de Jesus: "Eu vos digo que Elias já veio, mas não o reconheceram; ao contrário, fizeram com ele o que quiseram... Então os discípulos entenderam que ele estava se referindo a João Batista" (Mt 17,12-13). Em outro lugar, Jesus diz também: "João é o Elias que devia voltar" (Mt 11,14). Foi o profeta Malaquias que anunciou esse retorno de Elias: "Enviarei o profeta Elias antes que chegue o dia de Javé, grande e terrível" (3,23). Os judeus esperavam Elias para o fim do mundo, mas Jesus diz claramente que o Elias anunciado é João Batista. Segundo a interpretação dos reencarnacionistas, Jesus estaria dizendo que João Batista era Elias reencarnado. Nós católicos entendemos assim esse texto: João Batista é chamado Elias porque executou a mesma missão dele, a de preparar a vinda do Messias, conforme o anjo Gabriel havia anunciado a Zacarias, pai de João, dizendo: "Caminhará diante dele (de Deus) com o espírito e o poder de Elias" (Lc 1,17). João exerceu seu ministério no espírito e no poder de Elias. Os dois tiveram a mesma missão e João continuou o ministério profético de Elias, não porque fosse Elias em sentido literal. Jesus não quis dizer que João fosse Elias na sua humanidade física. Mas ele tem a intrepidez, a constância, a vocação e todas as suas virtudes de Elias. O próprio João, interrogado se ele era Elias, respondeu que não (Jo 1,21). Outro argumento para provar que Elias não reencarnou em João Batista é o fato da transfiguração de Jesus (Mt 17,3), fato ocorrido após a morte de João e no qual apareceu Elias com Moisés ao lado de Jesus. Ora, isto não teria acontecido se Elias tivesse mudado de identidade.

80. Por que nós católicos não podemos comer carne na 4ª feira de cinzas e na 6ª feira santa?

"Como já nos profetas, o apelo de Jesus à conversão e à penitência não visa em primeiro lugar as obras exteriores, os jejuns e as mortificações, mas a conversão do coração, a penitência interior. Sem ela, as obras de penitência seriam estéreis e enganadoras: a conversão interior, ao contrário, impele a expressar essa atitude por sinais visíveis, gestos e obras de penitência. A penitência interior é uma reorientação radical de toda a vida, um retorno, uma conversão para Deus de todo o nosso coração, uma ruptura com o pecado, uma aversão ao mal e uma repugnância às más obras que cometemos. Ao mesmo tempo, é o desejo e a resolução de mudar de vida com a esperança da misericórdia divina e a confiança na ajuda de sua graça" (CIC § 1430s).

"Os tempos e dias de penitência ao longo do ano litúrgico (o tempo da quaresma, cada sexta-feira em memória da morte do Senhor) são momentos fortes da prática penitencial da Igreja. Esses tempos são particularmente apropriados aos exercícios espirituais, às liturgias penitenciais, às peregrinações em sinal de penitência, às privações voluntárias como o jejum e a esmola, a partilha fraterna (obras de caridade e missionárias)" (CIC § 1438).

"Entre os mandamentos da Igreja está: jejuar e abster-se de carne conforme manda a Santa Mãe Igreja. Isto é nos tempos de ascese e penitência que nos preparam para as festas litúrgicas: contribuem para nos fazer adquirir o domínio sobre os nossos instintos e a liberdade do coração" (CIC § 2043).

"Cânon 1250. Os dias e tempos penitenciais, em toda a Igreja, são todas as sextas-feiras do ano e o tempo da quaresma."

"Cânon 1251. Observe-se a abstinência de carne ou de outro alimento, segundo as prescrições da Conferência dos Bispos, em todas as sextas-feiras do ano, a não ser que coincidam com algum dia enumerado entre as solenidades; observem-se a abstinência e o jejum na quarta-feira de cinzas e na sexta-feira da Paixão e Morte de Nosso Senhor Jesus Cristo."

Com referência ao cânon 1251, a CNBB determina que o fiel católico brasileiro pode substituir a abstinência de carne por uma obra de caridade, um ato de piedade ou comutar a carne por um outro alimento.

81. Qual a razão para a prática do jejum?

O jejum é um ato religioso de abstinência, destinado a exprimir sentimentos de tristeza e luto, arrependimento e bom propósito. No Antigo Testamento era praticado em certas datas e também em sinal de penitência, ou quando a comunidade se vê em perigo, para obter a salvação. Os profetas ensinam a ligar o jejum com a mudança de vida, com o arrependimento dos pecados, com a oração humilde e confiante, com o exercício da caridade fraterna e com a luta contra as injustiças.

Um dos efeitos benéficos do jejum é fortalecer a vontade do ser humano, para ele ser mais firme na resistência às tentações. Jesus considera o jejum como ato voluntário e secreto (Mt 6,18), destinado a preparar a pessoa para a ação de Deus. Nesse espírito, ele jejua antes de iniciar seu ministério (Mt 4,2). Quando ele fala das "boas obras" no Sermão da Montanha, cita explicitamente três: oração, jejum e esmola (Mt 6,1-18). Essas obras exprimem a conversão com relação a Deus, a si mesmo e aos outros.

Pela lei da Igreja, estão obrigados à lei do jejum todos os maiores de idade até os sessenta anos começados (Cân. 1252). Há dois dias de jejum determinados pela Igreja: 4ª feira de cinzas e sexta-feira santa.

Nos nossos dias, o Papa Francisco convocou para a noite de 7 de setembro de 2016 uma reunião dos fiéis com ele, em espírito de oração e de penitência, "para invocar de Deus o grande dom da paz para a amada nação síria e para todas as situações de conflito e de violência no mundo. A humanidade precisa ver gestos de paz e escutar palavras de esperança e de paz!"

Conforme o Papa Francisco, este é o melhor jejum:

Jejum de palavras negativas e dizer palavras bondosas.
Jejum de descontentamento e encher-se de gratidão.
Jejum de raiva e encher-se com mansidão e paciência.
Jejum de pessimismo e encher-se de esperança e otimismo.
Jejum de preocupações e encher-se de confiança em Deus.
Jejum de queixas e encher-se com as coisas simples da vida.
Jejum de tensões e encher-se com orações.
Jejum de amargura e tristeza e encher o coração de alegria.
Jejum de egoísmo e encher-se de compaixão pelos outros.
Jejum de falta de perdão e encher-se de reconciliação.
Jejum de palavras e encher-se de silêncio para ouvir os outros.

82 Por que só homens podem exercer a função de sacerdote?

Em teologia, nós não nos baseamos no que a humanidade espera, mas na palavra revelada de Deus. E o sacerdócio não é uma instituição social humana, o sacerdócio católico está relacionado com o sacerdócio estabelecido por Cristo. O que significa que os homens não são livres para inventar um sacerdócio de acordo com nossos costumes. Nós interpretamos o sacerdócio por meio de Cristo.

O sacerdócio católico foi instituído por Cristo, não foi inventado pela Igreja. Os apóstolos não foram escolhidos em votação popular, eles foram escolhidos por Cristo. Ele escolheu homens como apóstolos, e Cristo encarnou não como uma pessoa sem sexo, mas como homem. Estes são os fundamentos básicos que justificam que a Igreja não pode mudar o sacerdócio para adotar mulheres como sacerdotisas.

Cristo não teve medo de ser "contra cultural" na sua época. Ele disse coisas que os fariseus não gostaram, Ele fez coisas que não estavam de acordo com o que era esperado pela sociedade. Ele não seguiu os poderosos da época. Ele tinha suas próprias palavras, sua própria missão. Assim, o argumento de que Cristo veio em uma época cultural diferente e que agora a cultura é outra é disfuncional.

A Igreja, apegada à verdade que ela recebeu de Cristo, é livre dos apelos culturais do momento.

No mundo antigo, os pais decidiam pelos filhos em todos os aspectos, o pai decidia o casamento e até podia matar seu filho. No início da Igreja, as jovens que não aceitavam os ditames dos pais por vezes decidiam ser virgens para Cristo e nós conhecemos muitas mártires deste tipo, que morreram por Cristo. Estas virgens de Cristo dignificaram (revolucionaram) as mulheres da época.

"Lendo as escrituras, parece-me que as mulheres tinham acesso especial ao coração de Cristo, visto o jeito como elas se aproximavam dele, que conversavam com Ele, que tocavam nele. Nós até podemos dizer que as mulheres entenderam com mais facilidade o mistério de Cristo, pelos dons de fé das mulheres, por talvez ter mais facilidade em receber a graça divina. No entanto, elas não foram agraciadas com a missão apostólica, que Cristo deu aos homens."

Essa é a resposta dada por um teólogo do Papa Bento XVI, o Dominicano Wojciech Giertcych.

O Papa João Paulo II afirmou que segundo a Sagrada Escritura e a Tradição da Igreja, em relação ao sacramento da Ordem, nem Jesus Cristo nem algum sucessor de Apóstolo conferiu a ordenação sacerdotal a mulheres, tanto entre os cristãos ocidentais como entre os orientais. Segundo ele a Igreja não tem autorização para mudar este ponto. Eis o que ele disse na Carta Apostólica *Ordinatio Sacerdotalis* de 22 de maio de 1994: "Para que seja excluída qualquer dúvida em assunto da máxima importância, que pertence à própria constituição da Igreja divina, em virtude do meu ministério de confirmar os irmãos (cf. Lc 22,32), declaro que a Igreja não tem absolutamente a faculdade de conferir a ordenação sacerdotal às mulheres, e que esta sentença deve ser considerada como definitiva por todos os fiéis da Igreja".

Em favor do sacerdócio das mulheres, costuma-se alegar a adaptação da Igreja às características da sociedade moderna, a igualdade de direitos entre homem e mulher, a proibição estaria ligada a uma cultura ultrapassada, etc.

Responde o Catecismo da Igreja Católica: "Ninguém tem o *direito* de receber o sacramento da ordem. De fato, ninguém pode arrogar-se a si mesmo este cargo. A pessoa é chamada por Deus (Hb 5,4). Aquele que reconhece em si os sinais do apelo divino ao ministério ordenado deve submeter humildemente seu desejo à autoridade da Igreja à qual cabe a responsabilidade e o direito de convocar alguém para receber as ordens. Como toda graça, esse sacramento não pode ser recebido a não ser como um dom imerecido" (CIC § 1578). Mais que uma honra, o sacerdócio é um serviço.

83 São reconhecidos por Deus os Santos canonizados pelo Papa?

Santo canonizado é aquela pessoa falecida, inserida pelo Papa no Cânon ou Catálogo dos Santos. Antes de ser pronunciada solenemente a sentença definitiva, há todo um processo, longo e meticuloso, que examina a vida, as palavras e atitudes do futuro santo. A Igreja só considera santos aqueles que tenham praticado as virtudes em grau comprovadamente heroico. Pela canonização, o Papa afirma que aquela pessoa está na glória celeste, e assim autoriza que lhe seja prestada veneração pública em toda a Igreja.

A canonização é precedida pela beatificação, ato pelo qual o Santo Padre permite que seja prestado culto público a um servo de Deus em certa região ou certa família religiosa. Assim, entre os Beatos mais conhecidos no Brasil estão: Nhá Chica, Pe. Eustáquio e Irmã Dulce. E entre os Santos "brasileiros": São José de Anchieta, Santa Paulina e Santo Antônio de Sant'Ana Galvão, o único santo nascido no Brasil.

Na Bíblia já se encontra uma espécie de catálogo dos santos no Livro do Eclesiástico, cap. 44-50, que começa com as palavras "Façamos o elogio dos homens ilustres, que são nossos antepassados através das gerações". E vai resumindo em poucas linhas a vida de Henoc, Noé, Abraão e mais vinte personagens da Bíblia.

Já no início da Igreja os fiéis falecidos com fama de santidade foram venerados pelos cristãos.

O primeiro grupo de cristãos falecidos a ser cultuado pelos fiéis foram os mártires, considerados os imitadores mais perfeitos de Cristo, por terem dado sua vida como o Mestre. O culto dos mártires se expressava pela celebração da Eucaristia sobre o túmulo deles, no seu *dies natalis*, ou seja, quando nasciam para o céu.

Esta veneração dos mártires, após as perseguições romanas, estendeu-se aos monges, uma vez que viviam nos desertos em espírito de martírio, não da espada, mas da paciência e da renúncia absoluta. Depois esta prática se estendeu também aos bispos e sacerdotes e demais fiéis do povo de Deus, que tinham vivido em santidade.

No início, o povo cristão aclamava a santidade de alguém e cabia aos bispos serem os juízes dessa devoção espontânea. Só a partir da Idade Média é que teve início o processo formal de canonização dos santos, como ocorre hoje.

VII. A Igreja

A primeira canonização, semelhante às de hoje, foi feita pelo Papa João XV (985-996), em 993, quando canonizou Santo Ulrico, Bispo de Augsburgo (Baviera), falecido em 973. Nessa ocasião, João XV destacou dois importantes princípios da veneração aos santos: "Honramos os Servos para que a honra recaia sobre o Senhor, que disse: 'Quem vos acolhe, a mim acolhe' (Mt 10,40) e para que nós, que não podemos confiar em nossas próprias virtudes, sejamos sempre ajudados pelas preces e os méritos dos Santos."

Daí em diante, cabia exclusivamente à Santa Sé o direito de confirmar os santos que poderiam ser venerados.

Segundo as palavras do próprio Jesus aos Apóstolos, "Tudo o que ligardes na terra será ligado no céu" (Mt 18,18), o Papa tem certeza de interpretar a vontade divina quando canoniza santos.

84 Como a Igreja defende o culto que presta aos Santos?

O culto aos Santos nasceu nos primórdios da Igreja, conforme estes testemunhos de São Jerônimo e de São Cirilo de Jerusalém:

São Jerônimo (340-420), doutor da Igreja, afirmou: "Se os Apóstolos e mártires, enquanto estavam em sua carne mortal, e ainda necessitados de cuidar de si, ainda podiam orar pelos outros, muito mais agora que já receberam a coroa de suas vitórias e triunfos. Moisés, um só homem, alcançou de Deus o perdão para 600 mil homens armados; e Estêvão, para seus perseguidores. Serão menos poderosos agora que reinam com Cristo? São Paulo diz que com suas orações salvara a vida de 276 homens, que seguiam com ele no navio (naufrágio na ilha de Malta). E depois de sua morte, cessará sua boca e não pronunciará uma só palavra em favor daqueles que no mundo, por seu intermédio, creram no Evangelho?"

São Cirilo de Jerusalém (315-386), bispo de Jerusalém e doutor da Igreja, escreveu: "Comemoramos os que adormeceram no Senhor antes de nós: Patriarcas, Profetas, Apóstolos e Mártires; para que Deus, por sua intercessão e orações, se digne receber as nossas."

O primeiro grupo de santos que a Igreja venerou desde seus inícios foram os mártires, os que deram a vida por Cristo. Nos três primeiros séculos de sua existência, a Igreja assistiu ao martírio de milhares de fiéis que se recusaram a adorar os ídolos pagãos, desobedecendo assim às ordens do imperador, e pagaram com a vida a sua fidelidade ao Cristianismo. Nas catacumbas romanas, que eram cemitérios cristãos, o túmulo dos mártires era venerado, inclusive com lâmpadas, pinturas e orações. A Mãe de Deus, os Apóstolos e depois também outros santos em geral foram venerados sobretudo no local do seu passamento e no seu *dies natalis*, ou data do nascimento para o céu, isto é, o dia de sua morte para este mundo.

A Igreja sintetiza muito bem sua fé no culto dos Santos quando reza na Missa: "Nos vossos Santos ofereceis um exemplo para nossas vidas, a comunhão que nos une, a intercessão que nos ajuda. Assistidos por tão grandes testemunhas, possamos correr, com perseverança, no certame que nos é proposto e receber com eles a coroa imperecível" (cf. Hb 12,1).

Assim, a verdadeira devoção aos Santos é a que procura imitar suas virtudes e busca sua intercessão. "Cremos na comunhão de todos os fiéis de Cristo, dos que são peregrinos na terra, dos defuntos que estão terminando a sua purificação, dos bem-aventurados do céu, formando todos juntos uma só Igreja, e cremos que nesta comunhão o amor misericordioso de Deus e dos seus santos está sempre à escuta das nossas orações" (Credo do Povo de Deus).

Já no Antigo Testamento, tinham a missão de interceder pelo povo o rei, os sacerdotes e os profetas.

VII. A Igreja

Moisés intercede pelo povo pecador em várias ocasiões (Êx 32,11-14). São profetas intercessores: Samuel, Elias, Amós, Isaías, Jeremias, Ezequiel, o "servo" (Is 53,12). No Novo Testamento a intercessão torna-se um dever de todos (1Tm 2,1s). Jesus ensinou-nos a rezar até mesmo pelos perseguidores (Lc 6,28).

"Veneramos a memória dos habitantes do céu não somente a título de exemplo; fazemo-lo ainda mais para corroborar a união de toda a Igreja no Espírito, pelo exercício da caridade fraterna. Pois assim como a comunhão entre os cristãos da terra nos aproxima de Cristo, da mesma forma o consórcio com os Santos nos une a Cristo, do qual como de sua fonte e cabeça promana toda a graça e a vida do próprio Povo de Deus" (Santa Terezinha).

Acreditamos que os Santos levam nossas orações a Deus, porque estão vivos junto d'Ele na glória. Mas reconhecemos que só Deus pode fazer milagres, é d'Ele que nos vem toda graça. Santa Terezinha do Menino Jesus disse às suas Irmãs pouco antes de morrer: "Não choreis! Ser-vos-ei mais útil após a minha morte e ajudar-vos-ei mais eficazmente do que durante a minha vida. Passarei meu céu fazendo o bem sobre a terra."

É importante notar que tanto Lutero quanto Calvino aceitavam a veneração dos santos, uma vez que isso é algo humano e natural. O que eles contestavam era a função intercessora destes servos de Deus; porque parecia-lhes substituir a ação salvífica de Jesus Cristo.

85 A doutrina da Igreja a faz perder adeptos?

Com certeza existem casos desse tipo, em que a pessoa busca uma moral menos exigente, uma fé sem compromissos, uma religião mais acomodada. Então se transfere para um grupo religioso menos exigente, saindo da Igreja. Nos nossos dias, vemos crescer o individualismo e o hedonismo, com a busca do prazer a todo custo e a rejeição de toda espécie de sacrifício. Não se pode deixar de afirmar a verdade por medo de afastar os que vão recusá-la. Jesus foi muito claro quando perguntou em Jo 6,67: "Também vós quereis ir embora?"

Na abertura do Sínodo para a Família, disse o Papa Francisco: "Neste contexto social e matrimonial bastante difícil, a Igreja é chamada a viver a sua missão na fidelidade e na verdade. Isto é, defender a sacralidade da vida, a indissolubilidade do vínculo conjugal, sem mudar sua doutrina segundo as modas passageiras ou as opiniões dominantes." Em suma, deve acolher todos sem mudar a doutrina segundo modas e opiniões. Podemos aplicar à Igreja as palavras que Jesus dizia de si mesmo: "Minha doutrina não é minha, mas daquele que me enviou" (Jo 7,16). E também o que escreveu São Paulo aos Gálatas: "Se eu quisesse agradar aos homens, não seria servo de Cristo" (Gl 1,10). É pela fidelidade ao seu Fundador, Cristo, que a Igreja não pode alterar sua doutrina sob nenhum pretexto.

No Documento de Aparecida, 225-6, os Bispos da América Latina disseram que "segundo nossa experiência pastoral, muitas vezes, a pessoa sincera que sai de nossa Igreja não o faz pelo que os grupos 'não católicos' creem, mas fundamentalmente por causa de como eles vivem: não por razões doutrinais, mas vivenciais; não por motivos estritamente dogmáticos, mas pastorais; não por problemas teológicos, mas metodológicos de nossa Igreja. Esperam encontrar respostas a suas inquietações e aspirações." A decisão dos Bispos neste ponto foi "reforçar quatro eixos: a experiência religiosa, a vivência comunitária, a formação bíblico-doutrinal e o compromisso missionário de toda a comunidade".

VII. A Igreja

86 Em que ano foi fundada a Igreja Católica? e a igreja dos crentes?

Quando Jesus caminhava pela Palestina ensinando o Evangelho e instruindo os discípulos, Ele estava preparando o nascimento da Igreja. Está em Mateus 16,18 a promessa de Jesus: "Tu és Pedro e sobre esta pedra edificarei a minha Igreja". Em 10 de julho de 2007 a Congregação para a Doutrina da Fé publicou um documento afirmando que "a Igreja de Cristo subsiste na Igreja Católica". Como foi explicado na época, isto significa que "nela estão contidos todos os elementos desejados por Cristo. Isso não quer dizer que nas outras comunidades cristãs não existam também alguns destes elementos de salvação."

Nossa Igreja nasceu propriamente na hora em que Cristo deu sua vida pela salvação do mundo. "O começo e o crescimento da Igreja são significados pelo sangue e pela água que saíram do lado aberto de Jesus Crucificado" (LG 3). Pois do lado de Cristo adormecido na Cruz nasceu o admirável sacramento de toda a Igreja" (SC 5). Da mesma forma que Eva foi formada do lado de Adão adormecido, assim a Igreja nasceu do coração traspassado de Cristo morto na Cruz". E foi no Pentecostes, 50 dias depois, que "a Igreja se manifestou publicamente diante da multidão e começou a difusão do Evangelho com a pregação" (AG 4). Isto aconteceu provavelmente no ano 30 d.C.

Se você ouvir falar que a Igreja Católica foi iniciada no ano 325 d.C. pelo imperador Constantino, através do Concílio de Niceia, saiba que esta data refere-se à liberdade de culto que a Igreja recebeu deste que foi o primeiro imperador cristão. Antes disso, a Igreja tinha sofrido 10 períodos de perseguição. Como então dizer que ela não existia?

Quanto às outras religiões, são mais antigos que o Cristianismo: o Hinduísmo, que em 3000 a.C. já existia, e o Budismo, que é do século VI a.C. Maomé deu início ao

Islamismo em 622 d.C. Os Orientais Ortodoxos separaram-se da Igreja em 1054.

No ano de 1517 Martinho Lutero fundou o Protestantismo e consagrou o "livre exame" como princípio de interpretação da Bíblia. Isto abriu as portas para o surgimento de todas as Igrejas evangélicas (crentes) até hoje existentes.

Nos últimos anos, muitas e muitas igrejas ou seitas têm sido fundadas por homens ou mulheres comuns, todos eles com a pretensão de serem "guiados pelo Espírito Santo", apesar de não concordarem entre si no que ensinam. Fundar uma igreja tornou-se uma coisa banal, comum, acessível a qualquer cidadão. Ora, Igreja é caminho de salvação e somente Deus sabe indicar o caminho que temos de seguir e os meios para alcançar a salvação. Fundar uma igreja não é só reunir um grupo e cantar, pregar e louvar. Precisa definir concretamente o que se deve crer e o que se deve praticar. Nenhum ser humano tem autoridade para isso.

O Papa Francisco comentou essa "proliferação de novos movimentos religiosos" dizendo que na sua origem está "um aproveitamento das carências da população que vive nas periferias e zonas pobres, sobrevivendo no meio de grandes preocupações humanas e procurando soluções imediatas para as suas necessidades" (EG 63).

No passado, houve muita rivalidade, incompreensão e até mesmo hostilidade entre as igrejas. Desde o Concílio Vaticano II (1962-1965) procuramos praticar o Ecumenismo, que prega a tolerância, a união e a paz entre as igrejas.

Quando falamos em igrejas evangélicas, é preciso salientar que há uma nítida diferença entre as mais tradicionais e históricas e as outras mais recentes, que se dizem pentecostais. No Brasil existe um movimento ecumênico de aproximação entre as Igrejas que formam o CONIC, Conselho Nacional de Igrejas Cristãs, fundado

VII. A Igreja

em 1982. São elas: Igreja Católica Apostólica Romana, Igreja Cristã Reformada, Igreja Episcopal Anglicana do Brasil, Igreja Evangélica de Confissão Luterana no Brasil, Igreja Sirian Ortodoxa de Antioquia, Igreja Presbiteriana Unida. No ano de 2016, pela 4ª vez essas Igrejas promoveram juntas a Campanha da Fraternidade.

87 Como entender a frase de Mt 16,18 "As portas do inferno não prevalecerão contra ela (a Igreja)?

Mateus escreveu em grego, mas influenciado por sua língua materna, o aramaico. Usou a palavra *pylai* para significar "portas". Acontece que em aramaico a palavra "porta" evocava as portas das cidades de antigamente, abertas nas muralhas que cercavam as cidades. Essas cidades não eram urbanizadas como as modernas. Por exemplo, não tinham praças. O principal ponto de encontro de uma população muito diversificada era junto às portas das muralhas. Lá funcionava o tribunal, lá se resolviam as questões e se tratavam os negócios. Era também o lugar para o lazer e a comunicação de notícias. Era o lugar mais frequentado, por ser um lugar de passagem, onde todos os caminhos confluíam.

Assim, lemos em Rute 4,1 que "Booz subiu à porta da cidade e sentou-se ali", esperando encontrar um parente com o qual precisava falar. E de fato o encontro aconteceu. O Salmo 127/126,5 diz que o pai de muitos filhos "não ficará humilhado quando vier à porta para tratar com seus inimigos". A respeito da "mulher forte" se diz que "seu marido é respeitado junto às portas, quando se senta entre os conselheiros" (Pr 31,23).

A palavra "porta" às vezes significa praça, mercado, ou até mesmo a cidade inteira, quando se usa a figura de linguagem chamada *sinédoque*, que é mencionar a parte para indicar o todo. Por exemplo, em Gn 22,17 "Tua posteridade conquistará a porta de seus inimigos" é anúncio de vitória sobre a cidade deles: possuir as portas é tomar a cidade. Voltando a falar de Mt 16,18, essa frase é traduzida de diversas maneiras em nossas Bíblias:

- "O poder do inferno nunca poderá vencê-la".
- "As portas do Hades nunca prevalecerão contra ela".
- "O império da morte não a vencerá".
- "Os poderes do inferno jamais conseguirão dominá-la".
- "As portas do Hades não triunfarão sobre ela."
- "As portas do inferno nunca levarão vantagem sobre ela".

É fácil perceber que aqui as "portas" são personificadas, significando as potências do Mal, os poderes do inferno. "Contra a igreja de Jesus nada poderá o poder da morte, que abre suas portas para prender e fecha para não soltar" – comenta a Bíblia do Peregrino. O inferno é representado sob a forma de uma fortaleza ameaçadora. Mas a Igreja de Cristo continuará existindo enquanto o mundo existir.

88 Por que os Atos dos Apóstolos são chamados de "livro do cristão de hoje"?

Depois de escrever o terceiro evangelho, Lucas procurou retratar os inícios da Igreja de Cristo. Para isso, escreveu o livro chamado "Atos dos Apóstolos". Nele, realmente, não oferece notícias de todos os Doze, mas concentra-se especialmente em Pedro na primeira parte e em Paulo na segunda. Lucas foi companheiro deste nas viagens missionárias e também na sua prisão em Roma. Pedro dedicou-se mais aos judeus, enquanto Paulo percorria o Império Romano fundando comunidades.

VII. A Igreja

A narrativa começa com a Ascensão de Jesus aos céus, a escolha de Matias para o lugar de Judas e a descida do Espírito Santo em Pentecostes. No dia da Páscoa, quando o Mestre já tinha vencido a morte pela sua ressurreição, os discípulos ainda estavam encerrados em uma sala com medo dos judeus. As aparições do Mestre ressuscitado, a princípio recebidas com incredulidade, foram confirmando a fé daqueles primeiros companheiros. Antes de subir para o céu à vista deles, Jesus deixou-lhes a ordem de pregar o Evangelho a toda criatura e fazer discípulos todos os povos (Mc 16,15). Pediu que ficassem em Jerusalém até receberem o Espírito Santo, que haveria de lhes ensinar todas as coisas. Este dom aconteceu no dia de Pentecostes, e transformou os Doze em homens cheios de coragem e sabedoria.

O objetivo da narração não é simplesmente conservar recordações históricas, mas sim anunciar as maravilhas de Deus (At 2,11), que atestam a vinda da salvação, testemunhar as experiências das primeiras comunidades e expor os sinais de conversão do mundo.

Por isso, o livro nunca deixa de mostrar, por detrás da ação apostólica da Igreja, a força e a inspiração do Espírito Santo. Ele veio em Pentecostes, mas veio também em outras ocasiões sobre diferentes grupos; e, como resultado, os agentes da evangelização são pessoas cheias do Espírito, que agem com a força dos sinais e prodígios, e falam com a sabedoria do Espírito, embora sejam reconhecidamente pessoas simples (At 4,13). Por causa dessa presença constante do Espírito Santo em todas as páginas dos Atos, este livro foi denominado "o Evangelho do Espírito Santo". É ele que dirige os caminhos da Igreja.

Os Atos dos Apóstolos são o único escrito bíblico sobre esta fase capital da história do Cristianismo. Seu interesse está em nos mostrar a vida da Igreja em suas primeiras manifestações. Aí vemos com que termos os Apóstolos anunciaram aos judeus e aos pagãos a salvação pela fé em Jesus; que tipo de colaboração tiveram da parte dos primeiros cristãos; quais os milagres que confirmaram a sua pregação; como a comunidade cristã tomou consciência de si, viveu a partilha dos bens, era assídua ao ensinamento dos apóstolos, à comunhão fraterna, à fração do pão e às orações (At 2,42); como o Senhor abençoava seus trabalhos, expandindo o grupo; como foram resolvidos os primeiros problemas que surgiram, por exemplo, a admissão dos pagãos na Igreja, a necessidade ou não de observar a lei mosaica; quais as primeiras experiências de atribuição de cargos. A igreja dos Atos é o cumprimento da promessa feita pelo próprio Jesus quando assegurou aos discípulos a presença do Espírito para os tempos futuros.

As narrativas de Lucas nos ajudam a acompanhar os caminhos percorridos, os inícios das diversas igrejas e também as perseguições movidas contra os seguidores de Jesus, inclusive com relatos das primeiras vítimas fatais. Aqueles que hoje chamamos de "leigos" têm um papel extraordinário nos Atos. Eles hospedam os Apóstolos em suas casas (16,15), são seus companheiros de missão, assumem cargos de responsabilidade, rezam pela libertação de Pedro (12,5), ensinam a um pregador os rudimentos da fé (18,26)...

Tudo isso é história da nossa Igreja, da nossa família de discípulos de Jesus. Diante de tamanha vitalidade, entusiasmo e espírito de doação, cabe a pergunta: O que você faz por esta Igreja, pela qual tanto lutaram esses homens de Deus?

89 O que aconteceu em Pentecostes é o mesmo que acontece hoje nos cultos onde se fala ou se reza em línguas?

Se prestarmos atenção aos detalhes com que São Lucas nos conta esse acontecimento (At 2,4-11), podemos perceber que se tratava de línguas verdadeiras, faladas

VII. A Igreja

em alguma parte do mundo, mas ignoradas pelos apóstolos. A festa de Pentecostes, 50 dias depois da Páscoa, atraía a Jerusalém multidões de judeus e outras pessoas piedosas de várias partes do mundo, que comemoravam o dom da lei no Sinai. Os apóstolos tinham recebido de Jesus a ordem de esperar que se cumprisse "a promessa do Pai" (At 1,4), a saber, a efusão do Espírito Santo. Quando ele veio em forma de línguas de fogo, exatamente no dia da festa, os apóstolos começaram a falar em outras línguas, que eram reconhecidas pelas pessoas que as falavam. A admiração causada nos ouvintes tinha um motivo: "como esses galileus conseguem falar nossas línguas?" (At 2,7s). Não é aceitável a explicação que diz que cada apóstolo falava somente a sua própria língua, o aramaico, e no ouvido da cada pessoa acontecia o milagre da tradução para a língua de cada um. Ou seja, não é só um milagre de audição, mas as outras línguas eram realmente faladas e eram entendidas pelo grupo que as falava. Começaram a falar línguas estrangeiras antes que houvesse público que as escutasse.

O fogo de Pentecostes simboliza perfeitamente a ação do Espírito Santo que ilumina a inteligência dos discípulos, fazendo-os penetrar mais a fundo nos ensinamentos de Jesus. Assim como o fogo aquece, assim o Espírito Santo enche os fiéis do ardor de sua caridade, vencendo o medo que os apóstolos tinham antes. É próprio do fogo purificar: a ação divina purifica as almas de suas faltas.

O dom das línguas em Pentecostes restaura a unidade do gênero humano que se perdera em Babel, Gn 11,9. A arrogância de querer construir uma torre que chegasse até o céu foi castigada com a confusão das línguas e a dispersão dos povos. Agora, que veio sobre o mundo o Espírito do amor e da união, todos se entendem porque têm o mesmo espírito e podem formar uma só Igreja composta de todas as nações em uma grande fraternidade.

A história da torre de Babel é uma explicação popular para o surgimento dos vários idiomas, não é uma explicação científica. Pois sabemos que historicamente os idiomas surgiram com o tempo e com os encontros das diversas populações, por exemplo, do latim nasceram o francês, o espanhol, o italiano, o português, por causa das diferentes localidades e das tribos bárbaras que as habitavam.

Na história dos apóstolos, reaparece esse fenômeno das línguas, quando o Espírito Santo vem sobre uma comunidade: At 10,44.19,6.

O fenômeno tratado na primeira Carta aos Coríntios, é diferente: aqui é um estado extático, no qual o cristão, louvando a Deus, profere sons incoerentes, só podendo ser compreendido pelos que têm o carisma da interpretação. Paulo determina regras rigorosas sobre esse carisma, que ele coloca em último lugar em sua lista (1Cor 12,28). E diz que prefere a palavra compreensível, capaz de instruir, ao entusiasmo incomunicável (1Cor 14,19).

Sobre "o que acontece nos cultos", a avaliação do católico tem que ser muito prudente e bem fundamentada. É preciso analisar bem as circunstâncias do fato em estudo para discernir o que pode haver ali de verdadeiro carisma, sempre levando em conta que o carisma é dado em benefício da comunidade, não inutilmente. São Paulo colocou o amor como o primeiro dos carismas e disse que, onde ele não existe, todo outro suposto dom fica sem valor (1Cor 13,1ss). É fácil a pessoa se enganar, sobretudo quando se pretende falar em línguas em dia e hora marcados.

Você já reparou que não existe nenhum documento da Igreja, nem de papas nem de bispos, incentivando ou elogiando o "falar em línguas"?

Conforme os Evangelhos, o próprio Jesus nunca falou nem orou em línguas. Temos, sim, uma orientação dos nossos Bispos sobre o "orar e falar em línguas", mas é uma restrição. É o Documento 53 da CNBB, que diz no nº 63:

VII. A Igreja

"O apóstolo Paulo ensina: Numa assembleia prefiro dizer cinco palavras com a minha inteligência para instruir também aos outros, a dizer dez mil palavras em línguas (1 Cor 14,19). Como é difícil discernir, na prática, entre inspiração do Espírito Santo e os apelos do animador do grupo reunido, não se incentive a chamada oração em línguas e nunca se fale em línguas sem que haja intérprete." (1Cor 14,27s).

90 *Que sentido tem a visão de São Pedro em At 10,9-16?*

Essa é uma história de muita importância na vida da Igreja primitiva, pois trata da questão da admissão dos pagãos dentro do Cristianismo. De que maneira eles seriam recebidos? Os primeiros cristãos ainda se consideravam ligados pela lei judaica, a qual proibia ter contato com pagãos; por exemplo, um judeu não podia entrar na casa de um pagão. A história contada nos capítulos 10 e 11 dos Atos dos Apóstolos é a do centurião romano Cornélio, um pagão piedoso que praticava a oração e a esmola. Ele tem uma visão, na qual um Anjo lhe ordena que chame à sua casa Simão Pedro, que está hospedado em Jope, a uns 50 km de distância de Cesareia, onde morava Cornélio. Ao mesmo tempo, Pedro tem uma visão em que vê uma grande toalha descer do céu, contendo animais de várias espécies, inclusive de animais que a lei mosaica proibia comer. Uma voz diz a Pedro: "Mata e come!" Ele responde: "De modo algum! Jamais provei alimento impuro". E a voz lhe responde: "O que Deus declara puro, não o tenhas por impuro" (10,13s). Esse diálogo repetiu-se três vezes. Pedro estava tentando compreender a visão, quando bateram à sua porta os mensageiros de Cornélio. E o Espírito disse a Pedro: "Vai com eles sem hesitação, pois fui eu que os enviei." Ele foi, e diante de muita gente reunida, fez um discurso, mostrando que Deus não faz distinção de pessoas, mas em qualquer nação, quem o teme e pratica a justiça lhe é agradável. No fim do discurso, o Espírito desceu sobre todos os presentes, e Pedro se admirou porque ainda eram pagãos. Assim, reconheceu que o próprio Deus estava mostrando que era preciso admitir ao batismo aqueles que haviam recebido o mesmo Espírito que veio em Pentecostes.

Quando souberam desses fatos, os cristãos vindos do judaísmo, que eram mais conservadores, criticaram Pedro, dizendo: "Entraste em casa de pagãos e comeste com eles!" (At 11,3). Pedro então contou toda a história para justificar sua conduta e sua explicação foi aceita. Pedro aprendeu assim que estava abolida a distinção entre animais puros e impuros, como estava também abolida a distinção entre seres humanos, pois Deus tinha purificado a todos.

91 *Por que razão Paulo escreveu cartas a pessoas individuais, se na maioria das vezes ele escreveu para comunidades?*

As cartas de Paulo são escritos de ocasião, isto é, eram enviadas conforme ele achasse necessário, e sua finalidade costumava ser resolver problemas surgidos nas comunidades por onde ele tinha passado. Temos nove cartas dele escritas a igrejas e é possível que houve alguma outra que não foi conservada, como a carta aos cristãos de Laodiceia, mencionada em Cl 4,16.

Para pessoas individuais Paulo escreveu quatro cartas, sendo duas a Timóteo, uma a Tito e uma a Filêmon. Começando por esta última, trata-se de um bilhete endereçado a um senhor de escravos. Paulo escreve provavelmente de Éfeso, onde está preso e lá conheceu Onésimo, escravo que havia fugido e na prisão foi batizado. Para que ele seja bem recebido e não sofra nenhum castigo, Paulo explica a Filêmon toda a situação e pede: "Recebe-o como se fosse a mim mesmo, não mais como escravo, mas como irmão amado" (v. 16s). É um escrito que nos revela o coração delicado de Paulo e mostra como o Cristianismo transforma os relacionamentos sociais. Foi por providência divina que esse bilhete não se perdeu e foi reunido à coleção de cartas escritas pelo Apóstolo, sendo considerado digno de figurar como obra inspirada.

Timóteo foi bispo de Éfeso e Tito, bispo de Creta. Temos notícias sobre eles em At 16,1 e 2Cor 2,13. Ambos foram companheiros de Paulo em suas viagens. Assim, essas cartas dirigidas a eles têm sido chamadas de "pastorais", porque expõem a esses dois discípulos, chefes de comunidades, os deveres pastorais que lhes incumbem como primeiros responsáveis pelo rebanho de Cristo. Falam das qualidades que devem ter os chefes e do modo como tratar questões de governo. Escrevendo aos líderes das comunidades, o autor entrava em contato também com os fiéis daquelas igrejas. Essa pode ser a razão de Paulo escrever aos chefes individualmente. Mas os ensinamentos dessas epístolas têm um valor universal, como por exemplo, aquilo que lemos em 1Tm 2,4: "Deus quer que todos sejam salvos e cheguem ao conhecimento da verdade".

Os que sustentam que essas cartas são do próprio Paulo, as situam nos anos posteriores à sua prisão em Roma, ou seja, após o ano 63 d.C., período sobre o qual nada se sabe com certeza. Muitos dos comentadores modernos supõem que não foi Paulo quem as escreveu do modo como as temos na Bíblia. Teriam sido obra de um secretário ou de um discípulo de anos posteriores. As razões que apresentam são: a linguagem é diferente da de Paulo, muitas palavras são novas e o estilo é mais depurado. Em vez do dinamismo missionário de Paulo, a preocupação do autor é preservar a sã doutrina contra possíveis erros. Essas novidades doutrinárias não parecem ser do tempo de Paulo, mas de anos posteriores. Por isso, a data proposta para essas cartas é em torno do ano 90 d.C. Mas isso não diminui em nada o valor delas, nem afeta a sua inspiração.

VIII

Novo céu e nova terra

92 Explique a frase de Romanos 11,32: "Deus encerrou todos na desobediência para a todos fazer misericórdia".

À primeira vista, São Paulo parece afirmar que Deus tem uma parte de responsabilidade na desobediência dos seres humanos. Então, Ele teria colaborado com o pecado? Analisando o termo usado, vemos que o verbo "encerrar" significa literalmente "fechar com chave", colocar em uma situação sem saída. No contexto, Paulo está falando da salvação oferecida a judeus e pagãos indistintamente, sob a condição de todos se reconhecerem necessitados dela. Pois, enquanto os judeus acabaram por desconhecer a misericórdia, julgando que conseguiriam a justiça com base nas suas obras, na sua prática da Lei, Paulo declara que também eles são pecadores e portanto que também eles precisam da misericórdia pela justiça da fé. Diante deles, os pagãos, aos quais Deus nada havia prometido, são atraídos por sua vez à órbita imensa da misericórdia. Todos portanto devem reconhecer-se pecadores a fim de se beneficiarem todos da misericórdia. A Bíblia de Aparecida esclarece em nota: "Paulo quer dizer que Deus fez a humanidade experimentar sua incapacidade de livrar-se do pecado, para manifestar a todos sua bondade e sua misericórdia". A salvação não é uma questão de esforço humano, mas da misericórdia de

Deus (9,16). A salvação é obra da benevolência divina, que se mostra misericordiosa com quem quer: Rm 9,15. Na carta aos Gálatas, Paulo diz uma coisa que pode clarear o texto que analisamos: "A Escritura encerrou tudo debaixo do pecado, a fim de que a promessa, pela fé em Jesus Cristo, fosse concedida aos que crem". O verbo "encerrou" é o mesmo de Rm 11 e a palavra "Escritura" é uma clara referência ao próprio Deus.

Essa explicação nos ajuda a entender muitos outros lugares da Bíblia em que o autor parece afirmar uma ação de Deus causadora do mal.

Em 1Sm 16,14.16.23; 18,10; 19,9 se diz que "Saul foi atormentado por um espírito maligno vindo do Senhor Deus". Essa expressão indica que Deus retirou seus auxílios e sua proteção, permitindo que o rei fosse provado de vários modos por melancolia, ira, mania de perseguição, excesso de furor e crueldade. Caso semelhante está em Jz 9,23 onde lemos que "Deus enviou um espírito de discórdia entre Abimelec e os senhores de Siquém". A filosofia faz distinção entre a Causa Primeira, que é Deus, e as causas segundas, que são todo o restante. Mas a mentalidade hebraica geralmente negligencia as causas segundas, referindo tudo a Deus e considerando-o como única causa de qualquer acontecimento de importância. Os antigos hebreus atribuíam tudo a Deus como à causa primeira.

Então os textos bíblicos antigos muitas vezes representam Deus causando aquilo que Ele "permite" ou não impede. Por exemplo, em Is 45,7 Deus diz: "Eu asseguro o bem-estar e crio a desgraça". Falando dos pagãos, Paulo diz em Rm 1,24 que "Deus os entregou, segundo o desejo dos seus corações, à impureza". É ainda um modo hebraico de falar. Porém, mais próximo da nossa mentalidade é, por exemplo: At 14,16: "Ele (Deus) permitiu, nas gerações passadas, que todas as nações seguissem os próprios caminhos". Caminhos desordenados, evidentemente.

VIII. Novo céu e nova terra

Para concluir, cito Sl 5,5 que fala claro, sem sombra de dúvida: "Pois tu não és um Deus que se agrade com a iniquidade, e contigo não subsiste o mal."

93 *Por que São Paulo diz: "quando sou fraco é então que sou forte" (2Cor 12,10)?*

No final da segunda carta aos Coríntios, Paulo escreve quatro capítulos fazendo um longo relato autobiográfico, para se defender da acusação, lançada contra ele, de ser um apóstolo fraco, covarde e sem ousadia. Não quer contar vantagem nem fazer seu próprio elogio, pois "elogio em boca própria é vitupério" – diz o ditado. Cai no ridículo a pessoa que fica o tempo todo ostentando suas qualidades, julgando-se dona do mundo.

Além disso, Paulo conhece a exortação de Jeremias: "Não se glorie o sábio de sua sabedoria, nem o forte de sua força, nem o rico de sua riqueza" (9,22). Mas quem quiser gloriar-se, glorie-se no Senhor, completa Paulo (2Cor 10,17). Reconheça que todo bem que existe nele/nela é fruto da graça divina.

Aí o Apóstolo fala de suas visões e revelações e percebemos que estamos diante de um grande místico, um contemplativo, que no meio de tantos trabalhos, viagens e perseguições, está continuamente em contato com seu Deus. E além de tudo isso, ele expõe também as fraquezas que existem em sua vida "para eu não me encher de soberba" (2Cor 11,7). Concretamente, ele cita "o espinho na carne, o anjo de Satanás para me espancar", expressões misteriosas, interpretadas de diversos modos pelos comentadores: uma doença física com acessos penosos e imprevisíveis, tentações, fadigas da missão, os obstáculos que Satanás opõe à pregação do evangelho (1Ts 2,18), ou a resistência dos seus irmãos de raça à fé cristã. Diante da súplica de Paulo para Deus livrá-lo de tudo isso, a resposta foi: "Basta-te a minha graça, pois é na fraqueza que a força se realiza" (2Cor 12,9). Paulo mostra que entendeu a mensagem, pois continua dizendo: "Prefiro gloriar-me das minhas fraquezas, para que pouse sobre mim a força de Cristo... pois quando sou fraco, é então que sou forte" (v. 9s).

A Bíblia está cheia de exemplos de vitórias do bem contra o mal, mesmo quando, humanamente falando, a vitória parecia impossível. Caso típico é a luta de Davi contra Golias em 1Sm 17. O jovem diz ao gigante: "Tu vens contra mim com espada, lança e escudo; eu, porém, venho a ti em nome de Javé dos Exércitos, que desafiaste" (v. 45).

Outra batalha vencida pelos fracos contra os grandes foi a de Gedeão, que derrotou os madianitas. O exército hebreu tinha mais de trinta mil soldados, mas o próprio Deus mandou que ficasse reduzido ao mínimo, 300 homens apenas, para que Israel não se gloriasse às custas de Deus, dizendo: "Foi minha própria mão que me livrou" (Jz 7,2).

Também o livro de Rute transmite essa mensagem do poder de Deus manifestado na fraqueza. Rute pertence à tríplice categoria protegida pelo Senhor: ela é viúva, estrangeira e pobre. O cuidado com as viúvas, os órfãos e os estrangeiros é uma característica do Deus de Israel (Sl 68,6). Pois foi Rute a escolhida para ser a bisavó do rei Davi (Rt 4,19-22).

Deus demonstra seu poder usando instrumentos fracos; a fraqueza é o terreno em que a força de Deus age e se manifesta melhor. Não podendo confiar em si mesmo, o humilde coloca em Deus toda a sua esperança. Então, realiza-se o modo de agir divino "Deus resiste aos soberbos, mas dá sua graça aos humildes" (Tg 4,6; 1Pd 5,5).

Um provérbio popular resume essa lição: "O pouco com Deus é muito; o muito sem Deus é nada."

94. Quem escreveu a Carta aos Hebreus?

Essa carta está colocada em nossas Bíblias depois das treze cartas geralmente reconhecidas como sendo de São Paulo. A Igreja Oriental atribui também a ele a autoria de Hebreus, mas essa posição é cada vez menos defendida pelas seguintes razões:

- O modo como ela foi elaborada difere das epístolas paulinas. Em todas essas, Paulo adota um estilo bem pessoal, com uma introdução clássica composta de saudação, ação de graças e súplica. Em Hebreus o autor entra no assunto logo na primeira frase sem nenhuma introdução. Parece que vai apresentar um tratado, depois assume o tom de um sermão e no fim adota o estilo de carta. Parece uma homilia pronunciada diante de um auditório ou uma catequese doutrinal para instruir os leitores. O escrito tem o tom de um discurso, exceto no final, onde aparecem notícias pessoais.
- No vocabulário dessa carta encontram-se 292 palavras que Paulo nunca usou em suas cartas. A linguagem e o estilo desse escrito são de uma pureza elegante, que não é própria de Paulo. Isso é mais fácil perceber lendo o texto grego original, mas também nas traduções nossas é possível ver que o modo de escrever é de outra pessoa.
- A maneira de citar e utilizar o Antigo Testamento não é a de Paulo, pois Hebreus cita as Escrituras sem dizer o nome do profeta ou do livro bíblico, dizendo apenas: "como diz o Espírito Santo..." (3,7); "Deus declara..." (8,8). Paulo, ao contrário, costuma dizer de qual parte da Bíblia ele tirou a citação.

- O tema tratado em Hebreus é bastante diferente da catequese paulina, por exemplo, a insistência da carta em comparar a liturgia judaica com a ação do Cristo mediador da nova Aliança e a apresentação de Jesus como sumo sacerdote segundo a ordem de Melquisedec, que não é um tema paulino. Mas existem também paralelos interessantes entre a doutrina exposta em Hebreus e o pensamento paulino.
- A lei mosaica promulgada por intermédio de anjos: Hb 2,2 e Gl 3,19.
- A história dos israelitas no deserto servindo de lição para os cristãos: Hb 3,14s e 1Cor 10,6.
- Abraão, exemplo para nossa fé: Hb 6,12-15 e Rm 4,17-25.
- A Aliança do Sinai comparada com a Jerusalém celeste: Hb 12,18-24 e Gl 4,24ss.

Por isso, é compreensível que se procure relacionar, de certa forma, esta obra com a pessoa de Paulo. Orígenes disse que este deu as ideias e confiou a redação a um secretário que sabia o grego clássico. Clemente de Alexandria supôs que a linguagem bonita da carta é obra de Lucas, que teria traduzido um original hebraico. Lutero e mais outros exegetas atribuem a carta a Apolo, um pregador cristão de origem judaica, natural de Alexandria, contemporâneo de Paulo, que era "eloquente e versado nas Escrituras" conforme At 18,24. Outro possível autor lembrado pelos comentadores é o levita Barnabé, primo de Marcos (Cl 4,10) e companheiro de Paulo na primeira viagem missionária (At 13,2). Outros companheiros de Paulo que também são mencionados como possíveis autores de Hebreus são Silas e Timóteo. Não temos elementos claros para afirmar qual foi o autor desse escrito. Podemos dizer, no entanto, que é alguém muito ligado à cultura e à tradição judaica.

VIII. Novo céu e nova terra

95 Que significa epístola católica?

Sete epístolas, que não têm São Paulo como autor, foram desde cedo agrupadas para formar um bloco com nome próprio, embora sejam bem diferentes umas das outras: uma epístola de São Tiago, duas de São Pedro, três de São João e uma de São Judas. O que as distingue das cartas paulinas é que elas não têm um destinatário determinado e único, mas foram enviadas aos cristãos em geral. O nome "católicas" aplicado a essas cartas parece provir de Apolônio de Éfeso, que viveu em torno do ano 200 d.C. Este nome é mencionado por Eusébio e também por Jerônimo. Sabemos que "católico" significa "universal": são cartas destinadas a todos, um tipo de encíclica. Por exemplo, Tiago escreve "às doze tribos da Dispersão", ou seja, à comunidade cristã dispersa pelo mundo. Dispersão ou diáspora era o nome que os judeus davam a seus irmãos residentes fora da Palestina. Também Pedro, em sua primeira carta, se dirige "aos estrangeiros da Dispersão".

Mas nem todas as sete cartas possuem esse caráter de encíclica: a segunda e a terceira de João não se enquadram nesse critério, mas por sua brevidade ficaram incorporadas ao grupo como se fossem simples apêndices da primeira carta de João. Excetuando a primeira carta de Pedro e a primeira carta de João, todas as outras epístolas católicas foram indicadas pelo historiador Eusébio († em 339 d.C.) como "escritos discutidos", embora admitidos pela maioria das igrejas. Era uma época em que a difusão dos apócrifos aconselhava usar de prudência.

96 Por que ter medo do Apocalipse?

Na linguagem popular, a palavra "apocalipse" é usada no sentido de cataclismo, tragédia, destruição, calamidade, catástrofe, hecatombe. Muitas vezes é relacionada com o fim do mundo. Mas o termo grego original "apocalypsis" nada tem a ver com isso. Apocalipse quer dizer "revelação", mas uma revelação de tipo confidencial. Porque dirigida a iniciados, pretendendo revelar-lhes o sentido oculto dos acontecimentos, segredo que só o Céu conhece. O gênero apocalíptico é uma espécie de profecia muito comum na Bíblia, desde Ezequiel, Zacarias e Daniel. Esse gênero literário floresceu entre os anos 170 a.C. e 135 d.C., tempo de perseguições contra o judaísmo e contra o cristianismo. Anuncia um futuro de esperança para consolar e encorajar. Também no Novo Testamento existem trechos de caráter apocalíptico, como o discurso escatológico de Mt 24 e a descrição do retorno de Cristo em 1Ts 4,13-18.

Nos apocalipses, a revelação de Deus é transmitida a um mensageiro seu, na forma de visões fantásticas, para ele as comunicar ao povo. Nessas visões tudo ou quase tudo tem valor simbólico: animais, partes do corpo, números, cores, objetos. Geralmente o autor vive em um tempo de perseguição, de crise de fé, de apostasia, e a situação histórica contemporânea é descrita de maneira velada, de modo que às vezes só os leitores imediatos a entendem. O objetivo dos apocalipses é sustentar a esperança dos perseguidos, reanimar a coragem dos que se sentem desanimados, anunciando o triunfo final de Deus, não obstante as vitórias aparentes dos maus, pois Deus é o Senhor da história – essa é a grande certeza de todo apocalipse – e não permitirá que os seus sejam derrotados. O "Dia de Javé" chegará; antes daquele dia, as forças do mal vão desencadear violenta batalha contra o Povo de Deus (Mt 24,9-12), mas Este virá libertar os seus, destruindo os inimigos.

Além dos trechos bíblicos de cunho apocalíptico, são conhecidos vários apocalipses apócrifos, isto é, não inspirados, e portanto não aceitos na Bíblia. Assim, o Apocalipse de João não é um documento isolado. Para compreendê-lo melhor, será útil conhecer outros livros e secções de livros que têm o mesmo caráter, pois ele se serviu de material preexistente. Com efeito, mesmo sem citá-las expressamente, o autor lança mão de muitas imagens e expressões, sobretudo do Êxodo, protótipo das grandes libertações do Povo de Deus, mas também de Daniel, Ezequiel e Zacarias. Na segunda metade do século I d.c., uma série de calamidades abalou a frágil paz do Império Romano: o incêndio de Roma no tempo de Nero, a revolta dos judeus e a destruição de Jerusalém, a erupção do vulcão Vesúvio, que destruiu Pompeia e cidades vizinhas, tudo isso no espaço de poucos anos! Quanto à Igreja, o Império Romano voltava-se com toda a sua força contra os indefesos cristãos, decretando sangrenta perseguição contra aqueles "rebeldes" que se recusavam a adorar o imperador (Ap 13,12-18; 14,9-13), considerado senhor e deus. Teria o cristianismo chances de sobreviver? É verdade que existia a promessa de Jesus: "Tende confiança: eu venci o mundo!" (Jo 16,33), mas, segundo todas as aparências, ela não estava se cumprindo. Diante desse pessimismo, o autor mostra que a situação da Igreja, às voltas com o Império perseguidor, é a continuação da Paixão de Cristo, prelúdio necessário da Ressurreição gloriosa. Ela conduz seguramente ao triunfo escatológico, situado para além do tempo.

Seria esforço inútil querer encontrar no Apocalipse um calendário do futuro, com predições sobre as várias fases da história. O livro só fala de uma determinada época, a do autor, mas esta é tomada como modelo de todas as outras. Assim se patenteia qual é a caminhada da Igreja, entre provações e lutas, mas aguardando a glória da nova Jerusalém (Ap 21,1-4), o cumprimento da Aliança, o retorno de Cristo. Esta é a certeza de quem crê: a história humana tem um sentido. O Apocalipse é o livro por excelência da esperança cristã.

97 O que significa o número 666 em Ap 13,18?

Para entender bem um texto bíblico, é preciso situá-lo no seu contexto. É o que vamos fazer primeiro. A frase em estudo é esta: "Quem é inteligente calcule o número da Besta, pois é um número de homem: seu número é 666!" Isso está no livro Apocalipse, o último da Bíblia, escrito para animar os cristãos que já estavam passando por perseguições e iam ainda enfrentar outras. Não é um livro para amedrontar as pessoas, ao contrário, é o livro da esperança, porque depois de cada batalha ou calamidade descritas, vem uma visão de vitória, serenidade e paz. Isso é muito claro na sequência dos capítulos 13 (terror) e 14 (triunfo).

O grande desafio para os cristãos da época do autor do livro era o Império Romano pagão, que no final de século I d.C. começou a proibir toda religião que não reconhecesse o imperador como deus. O capítulo 13 fala de duas bestas, uma que vem do mar e a outra que vem da terra. Na interpretação mais aceita hoje, a primeira besta é o Império Romano e a segunda é o culto imperial. O objetivo da segunda besta é promover o culto da primeira, como diz o v. 12. Essa segunda besta tem o número 666.

As explicações aqui se dividem.

1) Alguns adotam a linha do simbolismo, pois este livro está cheio de referências numéricas simbolizando conceitos. Assim o 7 é o número da plenitude, 12 com seus múltiplos 24 e 144 é o número da Igreja, etc.. Então se o 7 é plenitude, o algarismo 6 parece ser a deficiência, a imperfeição, e no caso, repetido três vezes é a carência triplicada. E porque o ser humano foi criado no sexto dia, 6 é o número do homem, como também está em nosso texto 13,18. Por mais que se repita, o número 6 não chega a 7, o número de Deus. A mensagem é que, por mais poderosa que seja a Besta, ela não é deusa.

2) Outros acham que esse número 666 era um código cifrado para representar o nome de algum inimigo da Comunidade cristã que viveu na época do autor. É sabido que no alfabeto hebraico (e também no grego) cada letra tem um valor numérico, por exemplo: *alef* vale 1, *yod* vale 10, *nun* vale 50, *qof* vale 100 etc. O número de um nome será o total de suas letras. O nome "Neron Qaisar" (César Nero) escrito com letras hebraicas dá exatamente 666. Todo imperador acrescentava a palavra César ao seu nome: Júlio César, Tibério César, César Augusto, César Nero. Este foi o primeiro imperador romano a perseguir os cristãos. Governou o império do ano 54 d.C. a 68 d.C.

Vamos fazer a conta para confirmar. O alfabeto hebraico só usava consoantes: NRVN QSR (Neron Qaisar) dá 666. N(50) + R(200) + V(6) + N(50) + Q(100) + S(60) + R(200) =666.

No tempo em que foi escrito o Apocalipse, o imperador romano era Domiciano (81-96 d.C.), chamado "Nero redivivo". E foi ele o primeiro a ordenar sob pena de morte que os súditos do império o adorassem como deus, coisa que os cristãos, naturalmente, jamais fariam. Seja Nero, seja Domiciano nessa segunda opinião, é um imperador romano que está representado sob a figura da Besta, mas a mensagem para os leitores é que ficassem firmes e fiéis porque a vitória final pertenceria ao povo do Deus verdadeiro.

É bom saber que houve no passado alguma igreja protestante que tentou associar a figura do Papa ao número da Besta 666. O argumento era que a expressão latina "Vicarius Filii Dei" (Vigário do Filho de Deus) daria esse número, considerando os algarismos romanos que se encontram nessas três palavras. Diziam que essa frase aparecia nas tiaras (coroas) que o Papa usava e que portanto seria um título aceito pelo próprio Papa. O argumento é completamente falho. Já tivemos 266 Papas.

Qual deles seria a Besta do Apocalipse? Todos? Alguns? Quem tem a ousadia de aplicar esse título satânico a um personagem como os Papas que conhecemos, reconhecidos e venerados no mundo inteiro como líderes mundiais? O que admira nessa história é ver aonde pode chegar o ódio à Igreja associado à mais crassa ignorância. A "besta" mataria os cristãos e cometeria outras atrocidades. Vemos que os primeiros papas não mataram ninguém, mas eles é que foram mortos: Pedro, Lino, Cleto, Clemente e muitos outros seus sucessores que, por muitos anos continuaram a ser assassinados por causa de Jesus Cristo.

98 Onde fica o Harmagedon de Ap 16,16?

Uma boa norma de interpretação de um livro bíblico é estabelecer o sentido que ele tinha para seus primeiros leitores, ou seja, lê-lo à luz da história da sua época. É preciso também colocar o livro dentro do seu gênero literário. Os apocalipses nos orientam para não interpretarmos ao pé da letra suas imagens, visões e símbolos.

No capítulo 16 estão descritas as sete pragas das sete taças. Os v. 13-16 dizem que o Dragão, a Besta e o falso profeta, que é a segunda fera, reuniram os reis de toda a terra, seus seguidores, para a grande batalha final. Essa falsa trindade pensa que é sua batalha e sua vitória, mas é a batalha do Deus todo-poderoso, diz o v. 14. O local dessa reunião é claramente identificado: Harmagedon. Essa palavra é formada de "Har" que significa "monte" e Maguedon que é a cidade de Meguido (Jz 5,19), portanto, "monte ou colina de Meguido". O local fica na planície ao norte da Galileia entre duas montanhas; é o desfiladeiro que conduz à cidade. Era uma passagem obrigatória de quem ia do norte para o sul e vice-versa. Portanto uma rota de caravanas e local de muitas batalhas, entre as quais aquela em que perdeu a vida o virtuoso rei Josias enquanto combatia contra o faraó Necao, 2Rs 23,29. Um lugar de triste memória. Foi teatro de tantas batalhas, a maior parte delas desastrosas, a ponto de se tornar ele próprio símbolo da batalha, de derrota e aniquilamento. Aqui a derrota anunciada é a dos inimigos de Deus.

O livro continua falando do aniquilamento dos inimigos de Deus. Em 19,19 temos de novo a Besta "reunida com os reis da terra e seus exércitos para guerrear", mas ela é capturada junto com o falso profeta (v.20). A derrota do Dragão é descrita em 20,10. Não se fala mais em local de batalha: os acontecimentos finais não estão situados geograficamente. Por isso, temos de tomar o nome Harmagedon como um símbolo e não como localidade precisa. Do mesmo modo, quando o profeta Joel diz que Deus vai reunir todas as nações no vale de Josafá para o julgamento final (Jl 4,2), não devemos identificar esse local com o vale do Cedron, a sudeste do Templo de Jerusalém. É uma localização simbólica, tanto mais que "Josafá" significa "Javé julga".

99 O que é "Babilônia, a Grande", de Ap 17,5?

Na história do povo eleito, Babilônia sempre foi um poder ameaçador, ávido de estender seus domínios sobre toda a região do Oriente Médio. Sabemos que no ano 586 a.C. as ameaças se concretizaram e a Judeia, com sua capital Jerusalém, caiu nas mãos do rei Nabucodonosor de Babilônia. Em vários profetas encontramos oráculos contra Babilônia por causa da sua violência e opressão contra os hebreus.

Mas quando foi escrito o Apocalipse, tal ameaça não existia mais. A cidade inimiga era apenas uma lembrança e então seu nome foi usado como código para designar o poder imperial da época, a saber, Roma. Esse nome não aparece, mas a descrição não deixa dúvidas. Ela é personificada em uma mulher embriagada com o sangue dos santos e sentada sobre sete montes (v. 6 e 9). De fato, a Roma antiga tinha sete colinas: Capitólio, Quirinal, Viminal, Esquilino, Célio, Aventino e Palatino. E no tempo do autor do livro, já tinham começado as sangrentas perseguições contra os cristãos, dez ao todo, que só terminariam no ano 313 d.C. quando subiu ao trono o primeiro imperador cristão Constantino. Foi esta a grande provação da Igreja nascente, pois foi hostilizada por nada menos que o maior poder existente na terra, o Império Romano. A sobrevivência daquele "pequeno rebanho" (Lc 12,32), frágil e inerme diante daquele rolo compressor deve ser considerada como um milagre, que só se explica pela promessa do Fundador, de que "as portas do inferno nunca prevalecerão contra a sua Igreja" (Mt 16,18).

Sim, "Babilônia, a Grande" é uma expressão para designar Roma. E não só no Apocalipse, pois também São Pedro, dirigindo-se aos cristãos romanos, no final de sua primeira carta, saúda a Igreja que está em Babilônia (5,13). De qual Roma se trata? Não tem nenhum sentido aplicar a expressão à Roma cristã, que foi justamente a vítima daquela barbárie. Trata-se da Roma pagã, que tirava a vida dos seguidores de Jesus. Seria também absurdo ver naquela Babilônia de Ap 17 um símbolo do Vaticano, só porque ele se encontra em Roma. Infelizmente, absurdos são espalhados aos quatro ventos por pessoas mal intencionadas e/ou ignorantes!

Dessa "Babilônia, a Grande", o texto bíblico anuncia e descreve a queda em Ap 18,2. De fato, o que restou do triunfal Império Romano? Só aquelas ruínas que os turistas admiram e as obras dos poetas e juristas. Mas a Igreja católica aí está e vai permanecer viva até o fim do mundo.

VIII. Novo céu e nova terra

100 *Gostaria de saber o significado dos nomes bíblicos mais conhecidos.*

Depois de cada nome, vem em itálico o nome original, entre aspas o significado do nome e ainda a identificação do personagem.

Abel. Do sumérico *ibila*, "filho". Segundo filho de Adão e Eva.

Absalão. *Absalom*, "meu pai (Deus) é paz". Terceiro filho de Davi.

Adão. *Adam*, "homem". Pai da humanidade, esposo de Eva.

Adonias. *Adoniyyah*, "Javé é Senhor". Quarto filho de Davi.

Ageu. *Haggay*, "o festivo". Um dos 12 Profetas Menores.

Alexandre. *Alexandros*, "que rechaça homens". General nascido na Macedônia.

Amós. Abreviação de *Amasyah*, "Javé é forte". Um dos 12 Profetas Menores.

Ana. *Hannah*, "misericórdia". Nome de várias pessoas: mãe de Samuel; esposa de Tobit; profetisa que assistiu à apresentação de Jesus no templo; mãe de Nossa Senhora, conforme os apócrifos.

Ananias. *Hananyah*, "Javé compadeceu-se". Nome de várias pessoas: cristão de Jerusalém casado com Safira; cristão de Damasco que batizou Saulo; sumo sacerdote judeu.

André, *Andreas*, "varonil". Apóstolo, irmão de Pedro.

Barnabé. Do aramaico *Bar-nebuah*, "filho da profecia, profeta". Companheiro de Paulo.

Baruc. *Baruk*, "Javé é bendito". Secretário do profeta Jeremias.

Benjamim. *Ben-yamin*, "filho da (mão) direita". Filho mais novo de Jacó.

Berenice. *Bernike*, "que leva a vitória". Filha de Herodes Agripa I.
Daniel. *Daniyyel*, "Deus é juiz". Um dos 4 Profetas Maiores.
Davi. Nos textos de Mari, *dawidum* significa "chefe". Rei de Israel e profeta.
Débora. *Deborah*, "abelha". Profetisa do tempo dos Juízes.
Eliab. *Eliab*, "meu Deus é pai". Irmão de Davi.
Elias. *Eliyya(hu)*, "Javé é Deus". Profeta do tempo do rei Acab.
Eliezer. *Eliezer*, "Deus é auxílio". Servo de Abraão.
Eliseu. *Elyasa*, "Deus ajudou". Profeta discípulo de Elias.
Eneias. Do grego *aineô*, "louvor". Paralítico curado por Pedro.
Estêvão. Do grego *stephanos*, "coroa". Primeiro mártir cristão.
Eva, Da forma verbal *hiyyah*, "que dá vida". Esposa de Adão.
Ezequias. *Hizqiyya(hu)*, "Javé é minha força". Um dos reis de Judá.
Ezequiel. *Yehezqel*, "Deus dê força". Um dos 4 Profetas Maiores.
Filipe, *Philippos*, "amador de cavalos". São vários, principalmente um dos 12 Apóstolos e um dos 7 Diáconos de Jerusalém.
Gabriel. *Gabriel*, "homem de Deus". Anjo da Anunciação a Maria.
Gerson, *Gersom*, "estrangeiro". Filho de Moisés e Séfora.
Isaac, *Yishaq*, "Deus sorriu". Filho de Abraão e Sara.
Isabel. *Eliseba*,"Deus é plenitude" Mãe de João Batista.
Isaías. *Yesaya(hu)*, "Javé é salvação". Um dos 4 Profetas Maiores.
Ismael. *Yismael*, "Deus atende". Filho de Abraão e Agar.

VIII. Novo céu e nova terra

Israel. *Yisrael*, "que Deus se mostre forte". Nome do povo hebreu e de Jacó.
Jeremias. *Yirmeyahu*, "Javé exalta". Um dos 4 Profetas Maiores.
Jessé. *Yisay*, abreviação de *isyahweh*, "homem de Javé". Pai de Davi.
Jesus. *Yehosua*, "Javé é salvação". O Filho de Deus feito homem.
João, *Yohanan*, "Javé é propício". Nome do Batista, do 4º evangelista, de João Hircano e 1º nome do evangelista Marcos.
Joaquim. *Yoyakim*, "Javé ergue". 18º rei de Judá. Nome do pai de Nossa Senhora, conforme os evangelhos apócrifos.
Joel. *Yoel*, "Javé é Deus". Um dos 12 Profetas Menores.
Jonas. *Yonah*, "pomba". Um dos 12 Profetas Menores.
Jônatas. *Yonatan*, "Dom de Deus". Filho de Saul e amigo de Davi.
Josafá. *Yosafat*, "Javé julga". Quarto rei de Judá.
José. *Yosef*, "Deus acrescente". O esposo de Nossa Senhora e José do Egito, filho de Jacó.
Josias. *Yosiyya(hu)*, "Javé traz a salvação". 16º rei de Judá.
Josué. *Yehosua*, "Javé dá salvação". Chefe do povo hebreu depois de Moisés.
Judite, *Yehudit*, "a judia". Salvou o povo hebreu matando o general inimigo.
Lázaro. *Lazar*, "Deus ajuda". Irmão de Marta e Maria.
Levi. Da raiz *lawah*, "acompanhar, aderir". Um dos filhos de Jacó.
Maria. Provavelmente, do ugarítico *maryamu*, "a sublime". São muitas: a Mãe de Jesus, a Madalena, a irmã de Lázaro, a mãe de Tiago. E no AT a irmã de Moisés.
Marta, *Marta*, "senhora". Irmã de Maria e Lázaro.

Mateus. *Mattai*, "presente de Deus". Nome do 1º evangelista.
Matias. Abreviação de *mattityah*, "presente de Javé".
Discípulo que substituiu Judas.
Miguel. *Mi-ka-el*, "quem é como Deus?" O grande príncipe dos anjos.
Moisés. *Moseh*, que a Bíblia interpreta como "tirado das águas". Chefe do povo hebreu.
Natã. *Natan*, abreviação de *netanyah*, "presente de Deus". Profeta de Davi.
Noemi, *Noomi*, "minha doçura". Sogra de Rute.
Oseias. *Hosea*, abreviação de *yehosua*, "Javé salva". Nome de dois personagens: um dos 12 Profetas Menores e o último rei de Israel.
Rafael. *Refael*, "Deus curou". Anjo que conduziu Tobias na viagem.
Raquel. *Rahel*, "ovelha". Esposa predileta de Jacó.
Rute. *Rut*, "a amiga". Mulher moabita, bisavó do rei Davi.
Samuel. *Shemuel*. A Bíblia interpreta como "eu o pedi a Javé". Profeta e juiz.
Sara. *Saray*, "soberana". São duas: a esposa de Abraão e a esposa de Tobias.
Séfora, *Sipporah*, "ave". Esposa de Moisés.
Silas, forma grega do nome *Saul*, "o implorado". Companheiro de Paulo.
Tadeu. *Tadday*, "o corajoso". Sobrenome de Judas, um dos 12 Apóstolos.
Tamar, *Tamar*, "tamareira". Nome de várias pessoas: a nora de Judá, uma filha de Davi, uma filha de Absalão.
Timóteo. *Timotheos*, "que honra a Deus". Companheiro de São Paulo.
Tobias. *Tobiyyahu*, "Javé é bom". Filho de Tobit, esposo de Sara.
Zacarias. *Zekaryah*, "Javé lembra-se". São vários, mas três são mais conhecidos: um rei de Israel, um dos 12 Profetas Menores e o pai de João Batista.

Índice das citações bíblicas

Antigo Testamento

Gênesis
Gn 2,2s.................................39
Gn 2,17................................26
Gn 2,25................................26
Gn 3.....................................25
Gn 3,5..................................26
Gn 3,15....................125, 126
Gn 4,5................................151
Gn 5,24......................71, 128
Gn 6,1 a 9,17......................28
Gn 8,4..................................29
Gn 9,4..................................32
Gn 9,9..................................31
Gn 11,9..............................193
Gn 12..................................28
Gn 13,8..............................123
Gn 14,14............................123
Gn 15,17..............................31
Gn 17,1................................34
Gn 17,10..............................31
Gn 18................................132
Gn 22..................................65
Gn 22,17............................190
Gn 28..................................95
Gn 29,15............................123
Gn 31,47..............................17
Gn 37..................................95
Gn 40..................................95
Gn 41..................................95

Êxodo
Êx 3,6..................................50
Êx 3,8..................................76
Êx 3,14................................34
Êx 6,3..................................49
Êx 12,29..............................58
Êx 13,2................................58
Êx 13,21..............................42
Êx 16,29............................153
Êx 19,5................................32
Êx 19,8........................32, 39
Êx 19,12..............................71
Êx 19—20............................42
Êx 20..................................45
Êx 20,4................................41
Êx 20,5s..............................44
Êx 20—23............................32
Êx 21,24..............................93

Êx 25,18	41	Dt 12,31	65
Êx 32	41, 132	Dt 13,2-6	94
Êx 32,11-14	184	Dt 18,10s	67, 97
Êx 32,32	63	Dt 20,13s	64
Êx 34	45	Dt 22,5	52
Êx 34,6s	48	Dt 26,1s	57
		Dt 28	32

Levítico

Lv 11	52
Lv 18,21	65
Lv 20,10	51
Lv 26,12	32

Dt 32,35	93
Dt 34,5	43

Josué

Js 6,8	65
Js 6,17	65
Js 6,21	47
Js 7,1	64
Js 9,27	65
Js 10,14	64
Js 10,28ss	65
Js 11,11ss	65
Js 11,12	65
Js 24,16	33

Números

Nm 4,15	70
Nm 13—14	44
Nm 14,30	43
Nm 20,8-12	43
Nm 20,12	43
Nm 20,28	43
Nm 21,3	64
Nm 21,6-9	41
Nm 28,3	58
Nm 35,16	51

Juízes

Jz 5,19	212
Jz 6	95
Jz 7,2	204
Jz 9,23	202
Jz 11,29	66
Jz 11,31	65

Deuteronômio

Dt 1,37	44
Dt 2,14	43
Dt 3,26	44
Dt 4,21	44
Dt 5,8	41
Dt 5,9-10	45
Dt 5,12	39
Dt 7,2	64
Dt 7,21-24	47
Dt 7,24	122
Dt 9,3	47

Rute

Rt 4,1	189
Rt 4,19-22	204

1 Samuel

1Sm 2,8	138
1Sm 3	95

1Sm 9,9	97	Esd 4,8—6,18	17
1Sm 14,37	97	Esd 7,12-26	17
1Sm 16,14	202		
1Sm 18,10	202	**Neemias**	
1Sm 19,9	202	Ne 9,16s	42
1Sm 28,5	67		

Tobias

Tb 1,8	75

2 Samuel

2Sm 5,7	68	Tb 1,12	75
2Sm 6,3-10	70	Tb 2,2	75
2Sm 6,23	122	Tb 3,10.15	75
2Sm 7	95	Tb 4,3s	75
2Sm 12,1-14	144	Tb 4,5	75
		Tb 4,19	75

1 Reis

		Tb 4,21	75
1Rs 3	95	Tb 6,15	75
1Rs 3,12	80	Tb 14,3.8s	75
1Rs 10,1-13	80	Tb 14,8s	75
1Rs 16,24	73	Tb 14,12s	75
1Rs 20,42	64		

1 Macabeus

2 Reis

		1Mc 2,27	78
2Rs 2,11	128		
2Rs 2,11s	71	**2 Macabeus**	
2Rs 3,27	65	2Mc 6,12	80
2Rs 17	73	2Mc 7,9	50
2Rs 17,31	65	2Mc 12,42	171
2Rs 23,3	33	2Mc 12,45	171
2Rs 23,29	213		

Jó

2 Crônicas

		Jó 1,5	132
2Cr 36,23	77	Jó 2,9s	83
		Jó 7,9s	175

Esdras

		Jó 11,17	89
Esd 1,2ss	77	Jó 21,7	85
Esd 4,1-5	73	Jó 38,32	89
Esd 4,6-23	73	Jó 42,10	138

Salmos
Sl 5,5 203
Sl 6,6 49
Sl 16/15,10 .... 50, 128
Sl 18/17,38ss 93
Sl 19/18,2 24
Sl 22/21,17-19 16
Sl 25/24 93
Sl 30/29,10 49
Sl 37/36,5 144
Sl 42/41,3 24
Sl 42/41,4 76
Sl 46,10 47
Sl 48/47,13s 68
Sl 49/48,16 .... 72, 50
Sl 50/49,7-10.22 58
Sl 52/51 93
Sl 59/58 93
Sl 68,6 204
Sl 69/68,23-29 93
Sl 73/72 .... 84, 85
Sl 73/72,16 85
Sl 78/77,68s 69
Sl 84/83,11 69
Sl 88/87,11ss 49
Sl 106,32s 44
Sl 107,38 65
Sl 109/108 93
Sl 110/109,3 89
Sl 116/115,3 – 57
Sl 120—134 / 119—133 69
Sl 127/126/,5 189
Sl 132/131,13ss 69
Sl 136/135 48
Sl 137/136,1 76
Sl 137/136,7ss 93

Provérbios
Pr 6,6 143
Pr 9,10 81
Pr 19,17 143
Pr 21,31 144
Pr 31,23 189

Eclesiastes
Ecl 3,19 50
Ecl 7,16 84
Ecl 12,17 50

Sabedoria
Sb 6,12.14 144

Eclesiástico
Eclo 5,3s 148
Eclo 10,4 81
Eclo 34,1-8 94
Eclo 46,20 67
Eclo 50,26 74

Isaías
Is 1,10-20 58
Is 1,11-16 152
Is 1—39 96
Is 2,4 47
Is 6,5 35
Is 6,9s 145
Is 7 96
Is 7,3 96
Is 7,14 127
Is 8,3 96
Is 9 96
Is 9,5 149
Is 11 96

Is 11,2s 156
Is 14,12 89
Is 26,19 50
Is 40—55 96
Is 41,14 98
Is 45,7 202
Is 49,6 77
Is 52,13—53,12 96
Is 53 5 157
Is 53,8 72
Is 53,12 185
Is 56,7 58
Is 56—66 96
Is 62,1 68

Jeremias
Jr 9,22 203
Jr 10,11 .... 5, 17
Jr 23,25 94
Jr 25,11 76
Jr 31,31s 33

Ezequiel
Ez 18,20 46
Ez 33,6 72
Ez 47,13 77

Daniel
Dn 2 95
Dn 2,4—7,18 .... 17, 95
Dn 3,24 19
Dn 4 95

Oseias
Os 2,21s 45
Os 6,6 150

Joel
Jl 3,1 95
Jl 4,2 213

Amós
Am 7,17 46

Jonas
Jn 2,1 98
Jn 4,2 99
Jn 4,8 98

Miqueias
Mq 4,1 102
Mq 4,2 102
Mq 5,1 102
Mq 6,6-8 59

Sofonias
Sf 3,14 127
Sf 3,14s 70

Zacarias
Zc 9,9 68
Zc 10,2 94
Zc 12,10 122

Malaquias
Ml 1,2s 151
Ml 3,23 .... 72, 176
Ml 4,2 178

Novo Testamento

Mateus
Mt 1,25 122
Mt 2,6 102
Mt 2,12s 95
Mt 4,2 178
Mt 5,3 137
Mt 5,17 .... 54, 56
Mt 5,20 .... 52, 155
Mt 5,21-26 54
Mt 5,27-30 55
Mt 5,29s 167
Mt 5,31s 55
Mt 5,33-37 55
Mt 5,38s 51
Mt 5,43-47 55
Mt 6,1-18 178
Mt 6,10 136
Mt 6,18 178
Mt 6,26-28 144
Mt 7,7 .... 139, 144, 173
Mt 7,7s 139
Mt 7,13 167
Mt 8,22 141
Mt 9,13 .... 150, 152
Mt 10,34s 148
Mt 10,37 .... 142, 152
Mt 10,40 183
Mt 11,14 175
Mt 11,25 82
Mt 12,7 .... 147, 150, 151, 152
Mt 12,28 137
Mt 12,31 .... 147, 171
Mt 12,42 80
Mt 12,46 122
Mt 12,46-50 126
Mt 13,9 146
Mt 13,13s 145, 146
Mt 13,37-42 145
Mt 13,41s 167
Mt 15,28 125
Mt 16,16 136
Mt 16,18 ...... 187, 189, 190, 214
Mt 16,23 19
Mt 17,3 176
Mt 17,10-13 .... 72, 175
Mt 18,9 167
Mt 18,18 .... 39, 183
Mt 19,3-9 55
Mt 5,20 52
Mt 20,1-16 149
Mt 24 .... 152, 208
Mt 24,9-12 208
Mt 24,20 .... 152, 153
Mt 24,37s 31
Mt 25-1,13 154
Mt 25,41 167
Mt 26,52 149
Mt 27,18 157
Mt 28,20 136

Marcos
Mc 2,14 107
Mc 3,29 147
Mc 3,32 122
Mc 4,9 146
Mc 4,10ss 146

Mc 4,11s 145
Mc 4,26s 145
Mc 4,33 145
Mc 5,37 161
Mc 6,2 136
Mc 6,3 122
Mc 7,19 52
Mc 8,33 19
Mc 9,2 161
Mc 9,31 157
Mc 10,14 163
Mc 10,21 161
Mc 10,37 162
Mc 14,33 161
Mc 14,36 35
Mc 16,15 .... 106, 191

Lucas
Lc 1,17 176
Lc 1,28 69
Lc 1,35 121
Lc 1,38 126
Lc 1,45 126
Lc 2,22-28 122
Lc 2,22ss 58
Lc 2,34 146
Lc 2,42 123
Lc 2,7 122
Lc 5,27 107
Lc 6,28 185
Lc 8,5 146
Lc 9,49s 161
Lc 9,51-55 161
Lc 9,53 74

Lc 11,9s 139, 140
Lc 11,10 141
Lc 11,27 126
Lc 12,10 147
Lc 12,14 125
Lc 12,32 214
Lc 12,53 148
Lc 13,20s 146
Lc 14,26 151
Lc 14,35 146
Lc 17,5 173
Lc 17,21 136
Lc 17,26s 31
Lc 18,13s 141
Lc 18,14 136
Lc 19,9 139
Lc 20,27-38 50
Lc 21,5 63
Lc 22,20 .... 33, 56
Lc 22,32 181
Lc 23,42s 158
Lc 23,43 158
Lc 24,27 56
Lc 24,44 .... 48, 55
Lc 24,45 162
Lc 24,52 71

João
Jo 1,13 123
Jo 1,14 126
Jo 1,15 160
Jo 1,21 176
Jo 2,1 119
Jo 2,4 124

Jo 3,13	128	Jo 19,26	124, 160
Jo 3,14s	41	Jo 19,26s	123, 162
Jo 3,16	157	Jo 19,27	127, 129
Jo 3,19	149, 167	Jo 20,2	160
Jo 4,9	74	Jo 20,14	108, 161
Jo 4,18	73	Jo 20,15	125
Jo 5,39	49, 55	Jo 20,19	40
Jo 6,51	163, 173	Jo 20,2	160
Jo 6,67	186	Jo 20,31	14, 108
Jo 7,5	122	Jo 21,2	161
Jo 7,16	186	Jo 21,7	160
Jo 8,12	91	Jo 21,20	160
Jo 8,48	74	Jo 21,24	108
Jo 9,5	163	Jo 21,25	25
Jo 9,31	140		
Jo 10,10	135	**Atos dos Apóstolos**	
Jo 10,17s	157	At 1,4	193
Jo 10,31	156	At 1,14	122
Jo 11,36	161	At 2,4-11	192
Jo 11,39	143	At 2,7s	193
Jo 13,7	162	At 2,11	191
Jo 13,23	160	At 2,27	50
Jo 14,6	107	At 2,42	192
Jo 14,16	155	At 4,13	191
Jo 14,27	149	At 10,9-16	195
Jo 15,26	155	At 10,13s	195
Jo 16,7	155	At 10,44	194
Jo 16,8	147	At 11,3	196
Jo 16,13	155	At 12,2	161
Jo 16,33	209	At 12,5	132
Jo 17,3	136	At 12,7	127
Jo 18,36	136	At 13,2	206
Jo 18,38	158	At 13,5	107
Jo 19,10s	158	At 14,12	34
Jo 19,19	157	At 14,16	202
Jo 19,25	119	At 15,39	107

Índice das citações bíblicas

At 16	95
At 16,1	197
At 16,15	165
At 16,33	165
At 17,26	27
At 18	95
At 18,24	206
At 18,26	192
At 19,1-7	165
At 19,6	194
At 20,7	40
At 23	95
At 23,12	63

Romanos

Rm 1,24	202
Rm 3,29	99
Rm 4,17-25	206
Rm 4,25	157
Rm 5,5	156
Rm 5,6	167
Rm 5,7	149
Rm 6,23	26
Rm 8,9	155
Rm 8,11	155
Rm 8,15	155
Rm 8,16	35
Rm 8,18	86
Rm 9,3	63
Rm 9,13	151
Rm 9,15s	202
Rm 11	202
Rm 11,32	201
Rm 14,17	137
Rm 15,19	155
Rm 16,25s	56

1 Coríntios

1Cor 3,6	144
1Cor 3,15	171
1Cor 3,16	156
1Cor 6,11	155
1Cor 6,19	54
1Cor 7,14	163
1Cor 7,40	155
1Cor 9,5	122
1Cor 10,6	206
1Cor 10,11	49, 55
1Cor 11,25	56
1Cor 12,28	194
1Cor 13,1ss	194
1 Cor 14,19	194
1Cor 14,27s	195
1Cor 15,10	144
1Cor 16,2	40

2 Coríntios

2Cor 2,13	197
2Cor 3,6	55
2Cor 3,14ss	56
2Cor 3,17	155
2Cor 3,18	41
2Cor 10,17	203
2Cor 11,17	203
2Cor 12,9	204
2Cor 12,10	203

Gálatas

Gl 1,8s	63
Gl 1,10	186
Gl 1,19	122
Gl 3,14	155

Gl 3,19 206
Gl 4,6 .... 35, 155
Gl 4,24ss 206
Gl 5,22s 156

Efésios
Ef 1,13 155
Ef 2,14-18 149
Ef 4,5 165
Ef 4,9 166

Filipenses
Fl 4,7 149
Fl 4,13 86

Colossenses
Cl 4,10 206
Cl 4,14 108
Cl 4,16 105

1 Tessalonicenses
1Ts 2,18 203
1Ts 4,13-18 208

2 Tessalonicenses
2Ts 2,15 172
2Ts 3,1 132

1 Timóteo
1Tm 2,1s 185
1Tm 2,4 .... 163, 167, 197
1Tm 2,9 54
1Tm 2,5 130
1Tm 3,15 23
1Tm 6,7ss 139

2 Timóteo
2Tm 2,12 84
2Tm 3,16 .... 14, 15, 56
2Tm 4,11 108

Filêmon
Fm 16s 196

Hebreus
Hb 1,1 24
Hb 2,2 206
Hb 3,7 205
Hb 3,14s 206
Hb 5,4 181
Hb 6,12-15 206
Hb 8,8 205
Hb 9,26 59
Hb 9,27 175
Hb 11,1 173
Hb 11,7 31
Hb 12,1 184
Hb 12,18-24 206

Tiago
Tg 4,6 204

1 Pedro
1Pd 1,10 .... 49, 55
1Pd 3,15 5
1Pd 3,19 166
1Pd 3,20s 31
1Pd 4,14 155
1Pd 5,5 204
1Pd 5,13 214

2 Pedro
2Pd 1,19 90
2Pd 1,19-21 14
2Pd 1,20s 21
2Pd 3,9 167
2Pd 3,15 105
2Pd 3,15-16 23
2Pd 3,16 23

1 João
1Jo 2,1 155

Apocalipse
Ap 1,10 40
Ap 12,1 125
Ap 13,12 209
Ap 13,12-18 209
Ap 13,18 210
Ap 13—14 210
Ap 14,9-13 209
Ap 16,13-16 212
Ap 16,16 212
Ap 17,5 213
Ap 18,2 214
Ap 19,19 213
Ap 20,10 213
Ap 21,1-4 209
Ap 22,20 154

Índice

Prefácio 5
Abreviaturas dos livros bíblicos 7
Outras abreviaturas 9

I. Bíblia, mensagem de Deus em palavras humanas 11

1. A Bíblia é palavra de Deus ou palavra
   inspirada por Deus? 13
2. Como foi escrita a Bíblia? 15
3. Em que línguas foi escrita a Bíblia? 16
4. São fiéis as traduções que temos da Bíblia? 18
5. Por que a Bíblia dos evangélicos é
   diferente da nossa? 19
6. Por que há tantas diferenças entre
   as igrejas na interpretação da Bíblia? 21
7. Qual é a revelação essencial da Bíblia? 23
8. De acordo com o Antigo Testamento qual
   foi o pecado cometido por Adão e Eva? 25
9. Se a humanidade começou com Adão e Eva,
   por que tanta diferença física entre os povos? 27

10. A história do dilúvio aconteceu de verdade?........28
11. Qual o ensinamento da Bíblia sobre
a aliança com Deus?..31
12. Qual é o nome de Deus na Bíblia?............................34

II. As Leis de Deus e os costumes humanos..............37

13. Por que a Igreja Católica não segue
o mandamento de santificar o sábado?...............39
14. Por que a Igreja venera as imagens
se a Bíblia as proíbe?...41
15. Por que Moisés e os hebreus levaram
40 anos para chegar à Terra Prometida?...............42
16. Por que Deus não permitiu que Moisés
entrasse na Terra Prometida?...................................43
17. Como entender Êx 20,5s:
Eu sou um Deus que castiga.....................................44
18. Como entender o Deus "vingativo" que
muitas vezes aparece no Antigo Testamento?......46
19. Como o povo do Antigo Testamento
acreditava na vida após a morte?...........................48
20. Ainda estão em vigor as leis
do livro do Levítico?..51
21. Ainda vale a proibição de a mulher vestir
roupa de homem e vice-versa?................................52
22. Qual a posição de Jesus diante da
lei do Antigo Testamento?..54
23. Por que no Antigo Testamento se fala
tanto de sacrifícios de animais?..............................57

III. Símbolos e significados...61

24. O que é anátema?..63
25. Jefté sacrificou sua filha?...65

26. O que aconteceu no episódio de Saul
    e a necromante de Endor?................................67
27. A que corresponde exatamente o nome Sião?....68
28. Como entender a morte de Oza
    ao tocar a Arca?..70
29. Elias foi arrebatado ao céu?..............................71
30. Qual foi a origem dos samaritanos?..................72
31. Qual é o gênero literário do livro de Tobias?......74
32. O que significou na história de Israel
    o Exílio de Babilônia?.......................................76
33. Quem são os Macabeus de que
    a nossa Bíblia fala?..78
34. Quais são os livros sapienciais da Bíblia?..........80
35. Quais as lições do livro de Jó para nós?............82
36. Por que as pessoas que vivem afastadas de
    Deus, às vezes vivem sem problemas graves,
    e as pessoas que caminham com
    Jesus sofrem tanto?..84

IV. Curiosidades..87

37. O nome "lúcifer" tem mais de um sentido?.........89
38. Por que os salmos têm na Bíblia
    dupla numeração?..91
39. Como rezar o Salmo 109/108 que
    pede o castigo dos inimigos?............................92
40. Como entender Eclo 34,1-8 onde se lê:
    "Os sonhos dão asas aos estultos"?..................94
41. Qual Isaías anunciou o nascimento de Cristo?...95
42. O que é "oráculo do Senhor"?..........................96
43. O livro de Jonas é um relato histórico?..............97
44. Quais profetas o Aleijadinho imortalizou
    com suas esculturas em Congonhas-MG?........99

45. Quando o cânon do
    Novo Testamento foi definido?................... 102
46. Como o Novo Testamento foi composto?......... 104
47. Quem são os autores dos evangelhos?............ 105
48. Por que ficaram famosas as
    descobertas de Qumran?........................ 108
49. Temos provas históricas da existência de Jesus?.... 112

V. Maria, a escolhida de Deus................ 117

50. Por que Nossa Senhora tem grande
    importância na fé católica?..................... 119
51. O dogma da perpétua virgindade
    de Maria tem sustentação bíblica?............... 120
52. Por que Jesus chama Maria de "mulher"?
    Não é falta de respeito?........................ 124
53. O que se sabe da vida de
    Nossa Senhora depois de Pentecostes?............ 126
54. Se a Assunção de Maria ao céu é um fato tão
    importante, não mereceria estar na Bíblia?....... 128
55. Por que nós católicos pedimos a intercessão de
    Maria, se a Bíblia diz que só há um Mediador
    entre Deus e os homens, Jesus (1Tm 2,5)?......... 130

VI. Palavra, Parábola....................... 133

56. Como entender a expressão "Reino de Deus"?..... 135
57. Que significa "pobres em espírito" (Mt 5,3)?...... 137
58. Pedi e recebereis (Mt 7,7). É assim
    que acontece sempre?......................... 139
59. Explique a frase "Deixa que os mortos
    enterrem seus mortos" (Mt 8,22)................ 141
60. Onde está na Bíblia "Faze tua parte,
    que te ajudarei?"............................. 143
61. Por que Jesus falava em parábolas?.............. 144

62. Qual é o pecado contra o Espírito Santo?............ 147
63. O que Jesus quis dizer em Lc 12,53: "Ficarão divididos: pai contra filho..."?.................... 148
64. Como se explica a parábola dos operários da vinha (Mt 20)?.. 149
65. Que quis dizer Jesus com as palavras "Eu quero misericórdia e não sacrifício"?.............. 150
66. Por que Jesus mandou rezar para que "a vossa fuga não aconteça no sábado ou no inverno" (Mt 24,20)? 152
67. Como entender a parábola das 10 virgens?........ 154
68. A quem Jesus se refere quando fala do Paráclito (Jo 15,26) e do Espírito da Verdade (Jo 16,13)?...... 155
69. Por que Jesus foi crucificado? 156
70. O que quer dizer "padeceu sob o poder de Pôncio Pilatos"?... 158
71. Como entender a palavra de Jesus ao bom ladrão: "Hoje estarás comigo no paraíso" (Lc 23,43)?.. 158
72. Quem era "o discípulo que Jesus amava" que aparece no 4º evangelho?.................................. 160
73. Por que, quando nasce uma criança, enquanto não é batizada, ela não é uma cristã verdadeira? 163
74. O que acontece com as pessoas que se batizam mais de uma vez ao mudarem de igreja?... 165
75. Como entender que um Deus-amor possa condenar um filho seu à morte eterna?............... 166

VII. A Igreja... 169

76. Por que a Igreja prega a doutrina do purgatório?... 171

77. Tenho inveja das pessoas que acreditam, que têm uma fé firme.
Como posso crescer na fé?... 172
78. Vejo pessoas comungando em todas as Missas, mas eu não me sinto digna de comungar............ 173
79. Como dialogar com uma pessoa que acredita em reencarnação?.. 175
80. Por que nós católicos não podemos comer carne na 4ª feira de cinzas e na 6ª feira santa?.............. 176
81. Qual a razão para a prática do jejum?................... 178
82. Por que só homens podem exercer a função de sacerdote?.. 179
83. São reconhecidos por Deus os Santos canonizados pelo Papa?.. 181
84. Como a Igreja defende o culto que presta aos Santos?.. 183
85. A doutrina da Igreja a faz perder adeptos?......... 185
86. Em que ano foi fundada a Igreja Católica? e a igreja dos crentes?.. 187
87. Como entender a frase de Mt 16,18 "As portas do inferno não prevalecerão contra ela (a Igreja)?.. 189
88. Por que os Atos dos Apóstolos são chamados de "livro do cristão de hoje"?............... 190
89. O que aconteceu em Pentecostes é o mesmo que acontece hoje nos cultos onde se fala ou se reza em línguas?... 192
90. Que sentido tem a visão de São Pedro em At 10,9-16?.. 195
91. Por que razão Paulo escreveu cartas a pessoas individuais, se na maioria das vezes ele escreveu para comunidades?................................. 196

VIII. Novo céu e nova terra 199

92. Explique a frase de Romanos 11,32:
"Deus encerrou todos na desobediência
para a todos fazer misericórdia" 201
93. Por que São Paulo diz: "quando sou fraco,
é então que sou forte" (2Cor 12,10)? 203
94. Quem escreveu a Carta aos Hebreus? 205
95. Que significa epístola católica? 207
96. Por que ter medo do Apocalipse? 207
97. O que significa o número 666 em Ap 13,18? 210
98. Onde fica o Harmagedon de Ap 16,16? 212
99. O que é "Babilônia, a Grande", de Ap 17,5? 213
100. Gostaria de saber o significado dos
nomes bíblicos mais conhecidos. 215

Índice das Citações Bíblicas 219

Este livro foi composto com as famílias tipográficas Bodoni, Segoe e Times New Roman e impresso em papel Offset 63g/m² pela **Gráfica Santuário.**